REALITY

Herbert Günther

Grenzgänger

Herbert Günther

Herbert Günther wurde 1947 in Göttingen geboren. Er arbeitete als Buchhändler und Lektor. Seit 1988 ist er als freier Schriftsteller und Übersetzer tätig. Herbert Günther wurde als Autor zahlreicher Bücher für Kinder und Jugendliche bekannt.

Grenzgänger

RAVENSBURGER BUCHVERLAG

Als Ravensburger Taschenbuch
Band 58148,
erschienen 2001

Die Originalausgabe erschien 1995
unter dem Titel
»Ein Sommer, ein Anfang«
im Verlag Friedrich Oetinger, Hamburg

Umschlagillustration: Sabine Lochmann

RTB-Reihenkonzeption:
Heinrich Paravicini, Jens Schmidt

**Die Schreibweise entspricht den
Regeln der neuen Rechtschreibung.**

Printed in Germany

5 4 3 2 1 05 04 03 02 01

ISBN 3-473-58148-8

www.ravensburger.de

REALITY

Für Ulli

Aber denke nicht nur an mich,
wie ich bin,
sondern auch,
wie ich sein möchte …

**Aus einem Brief von Sophie Scholl
an Fritz Hartnagel 1940**

1

Halb drei, haben sie gesagt. Opa Rudolf hat seinen Mittagsschlaf verkürzt und sitzt schon fünf Minuten vor halb auf der Bank vorm Haus. Nele setzt sich zu ihm.

»Wie weit ist es denn zum Sonnenstein?«, fragt sie.

»Na, ich denke, so ungefähr dreißig Kilometer«, sagt Opa Rudolf. Der Sonnenstein ist ein Ort in einer seiner Geschichten, die er immer wieder erzählt. Ein Ort jenseits der ehemaligen Grenze.

»Den ganzen Weg bist du damals an einem Tag zu Fuß?«, fragt Nele.

Opa Rudolf stützt sich mit beiden Händen auf seinen Spazierstock. Er lächelt glücklich, wie immer, wenn ihn jemand nach diesen vergangenen Dingen fragt.

»Wir sind natürlich querfeldein«, sagt er. »Vom Sonnenstein her kannte ich mich ja aus. Und auf den Straßen waren überall Wachposten.«

Am liebsten würde er jetzt alles von Anfang an und ausführlich erzählen, aber seine Ungeduld ist größer. Er sieht auf die Armbanduhr. »Pünktlich ist er nicht«, sagt Opa Rudolf.

»Eine Minute nach«, sagt Nele. »Er wird schon gleich kommen.«

Henning, der große Bruder, ist ins Nachbardorf gefahren und holt seine Freundin. Zu Neles Überraschung hat Henning sich zu diesem Sonntagnachmittagsausflug überreden lassen. Wahrscheinlich nur, weil er so gern Auto fährt, denkt Nele.

»Meinst du, dass er sie heiratet?«, fragt Opa Rudolf.

Nele lacht. »Ach Opa. Sie sind doch beide erst neunzehn. Und dann ...«

»Du meinst, heiraten ist aus der Mode, wie?«

»Na ja, ich meine ...«

»Jedenfalls verdient er als Bankangestellter ein schönes Geld. Und sie ist doch bei so einem Steuerfritzen. Da passen sie gut zusammen.«

»Wie du dir das denkst, Opa.«

»Du meinst, ich verstehe davon nichts mehr, was? Aber jung gewesen bin ich auch mal. Wenn man es mir auch nicht mehr ansieht. Wie alt bist du jetzt, Nele?«

»Sechzehn, Opa.«

»Na, dann hast du ja damit noch Zeit.«

»Kann sein, ich heirate überhaupt nicht«, sagt Nele.

»Warte nur ab, bis der Richtige kommt«, sagt Opa Rudolf, und in Neles Ohren klingt es fast wie eine Drohung. Wenn es auch gut gemeint ist, wie alles, was Opa Rudolf sagt.

Endlich kommt Henning mit seinem weißen Golf auf den Hof gekurvt. Er blinkt sie mit der Lichthupe an, bevor er

nach einem großen Bogen vor der Bank an der Hausmauer hält.
Hennings Freundin Topsi steigt aus. »Hi«, sagt sie zu Opa Rudolf. Aber als der ihr nach alter Schule die Hand geben will, ist sie längst an ihm vorbei und bleibt schließlich vor Nele stehen. »Na, Familientag angesagt heute?«
Nele nickt, sagt aber nichts weiter.
Opa Rudolf hat sich auf den Beifahrersitz fallen lassen und schnallt sich an. Topsi und Nele steigen hinten ein. Bevor sie losfahren, steckt Opa Rudolf Henning einen Fünfziger in die Hemdentasche.
»Benzingeld«, sagt er lächelnd.
Topsi, in engem T-Shirt und kurzem Lederrock, bringt ihre langen Beine in eine halbwegs bequeme Lage und stößt dabei an Neles Knie.
»Oh sorry«, sagt Topsi.
»Hm«, macht Nele. Topsi riecht nach Lavendel, ein bisschen zu sehr, findet Nele.
Es ist der dritte Sonntag in den großen Ferien. In den nächsten Tagen bricht die ganze Familie auf. Nur Opa Rudolf bleibt zu Hause und bekommt Essen auf Rädern. »Du fährst mit dem Rad weg, Nele?«, fragt Topsi.
»Hm. Zwei, drei Wochen Richtung Norden. Mal sehen, wie weit wir kommen.«
»Das wär mir ehrlich zu viel«, sagt Topsi.
»Nele lässt keine Gelegenheit aus, sich zu martern«, sagt Henning über die Schulter und grinst.
»Wenn sie Spaß dran hat, lass sie doch«, sagt Topsi. »Jedem Tierchen sein Pläsierchen.«

Nele ärgert sich, dass ihr nichts darauf einfällt. Ihre Mutter hat schon Recht. Alles an Topsi ist ein bisschen zu sehr.
Sie fahren aus dem Dorf hinaus, und nach drei Kilometern kommen sie an die Stelle, wo einmal die Grenze gewesen ist. Opa Rudolf beugt sich vor und dreht den Kopf nach rechts und links.
»Langsam mal jetzt, langsam!«, ruft er.
Henning nimmt den Fuß vom Gas.
»Soll ich anhalten?«, fragt er.
»Nein, nein. Fahr nur, fahr«, sagt Opa Rudolf. Und gleich darauf: »Der Drahtzaun ist ja weg.«
»Schon lange«, sagt Henning.
Der Ackerstreifen, der die Grenze markiert hat, ist von Gras überwuchert. Der Weg mit den löchrigen Betonplatten dahinter, auf dem die Vopos Kontrolle gefahren sind, ist aus dem Auto kaum noch zu erkennen. Die Grenze zieht sich durch das hüglige Land wie die Spur einer Linie, die beim Ausradieren verschmiert worden ist.
»Wer hätte das gedacht«, sagt Opa Rudolf und hat dabei wieder dieses jungenhafte Staunen im Gesicht, das Nele so mag an ihm. »Dass ich das noch erlebe. Jetzt fahren wir einfach hier rüber, als wenn nichts gewesen wäre. Wer hätte das gedacht!«
Henning lächelt, Topsi lächelt, und irgendwie würde es Nele nicht sehr wundern, wenn einer von beiden jetzt sagen würde: Cool bleiben, Alter. Wir haben das doch schon immer gewusst.
Aber Topsi sagt: »Das war ein Trara damals.«
Plötzlich muss Nele an Lydia denken. Auch wenn Lydia da-

mals nicht gelächelt hat wie Topsi jetzt, so ähnlich hätte sie das auch sagen können. Alles Trara. Am Ende zählen ganz andere Sachen.

Am Tag der Grenzöffnung vor fünf Jahren war Nele vom frühen Morgen an dabei. Es war wie ein Volksfest, nur viel spontaner. Wildfremde Menschen lagen sich in den Armen. Jeder redete mit jedem. Man klopfte sich auf die Schultern, man lud sich ein. Eine Blaskapelle spielte, und hier, an der Stelle, über die sie jetzt fahren, tanzte ein altes Ehepaar durch die Lücke im Zaun.

Am nächsten Tag in der Schule saßen sie im Stuhlkreis zusammen, und fast alle waren in dieser euphorischen Stimmung. Deshalb erschraken die meisten, als Lydia Obermeier mitten hinein sagte: »Die kommen doch alle nur rüber und nehmen uns die Arbeitsplätze weg.«

Die schöne Freudenstimmung hatte die ersten Risse bekommen und wurde auch nicht dadurch gekittet, dass ihre Lehrerin in der nächsten Stunde verkündete: »Wir machen ein Projekt Grenzöffnung. Ich werde mir was Besonderes einfallen lassen, das verspreche ich euch.«

Das Projekt war dann die größte Pleite geworden, wenn auch nicht wegen Lydia.

Aber das liegt nun schon so lange zurück. Fünf Jahre. Fast ein Drittel von Neles Leben. Die Zeit ist weitergegangen, und alles hat sich so schnell verändert. Das ganze Trara ist längst vergessen. Nur Opa Rudolf, der selten aus dem Haus kommt, wundert sich immer noch.

2

»Pass auf, in ein paar Jahren haben uns die Ossis alle überholt«, sagt Henning. »Da kannst du Gift drauf nehmen. Modernste Technik. Alles vom Besten. In ein paar Jahren gehen wir bei denen betteln.«
Opa Rudolf lächelt und nickt. Was in ein paar Jahren ist, interessiert ihn nicht so sehr. Dieser Nachmittag ist für ihn ein Ausflug in die Vergangenheit.
Seine Erinnerung liegt nicht fünf, sie reicht fünfzig Jahre zurück. Und er braucht jemanden, der seinen Geschichten zuhört. Wenn er zu Hause damit anfängt, verdrehen alle die Augen und haben plötzlich was ganz Wichtiges zu tun. Jetzt sitzen sie im Auto, und keiner kann entkommen.
Opa Rudolf dreht seinen Kopf, sieht in Topsis lächelndes Gesicht, und nach hinten gebeugt beginnt er zu erzählen.
»Das kann sich heute gar keiner mehr vorstellen«, sagt er, »wie das war fünfundvierzig. Gefangenschaft. Und jeden Tag Angst, ob man morgen noch lebt. Wie die Verbrecher haben wir uns nach Hause geschlichen.«
»Mein Opa war in Kanada in Gefangenschaft«, sagt Topsi.

»Die letzten Kriegstage in Berlin waren furchtbar«, sagt Opa Rudolf. »Alles in Auflösung. Nirgendwo mehr richtige Ordnung. Ich bin noch zu einem SS-Sturmbannführer gekommen, das war ein ganz scharfer. Da habe ich mich immer schön im Hintergrund gehalten. Der Krieg war doch längst verloren. Aber ergeben wollten wir uns nicht so einfach. Nicht, bevor das Wehrmachtskommando kapituliert hatte. Das ging gegen unsere Ehre.
Am 28. April bin ich mit drei jungen Leuten, Hitlerjungen, Flakhelfern, zum Sammelplatz. Wir sind an der Bahn lang, ich unten an der Böschung, die drei oben auf den Gleisen. Ich sage noch, kommt da runter, Mensch, aber sie hören nicht auf mich. Schlägt eine Granate ein – und alle drei tot. Nicht älter als ihr. Und ich kriege einen Splitter hier in die Schulter.«
Er streicht mit der Hand über sein durchgeschwitztes Hemd, und Nele fürchtet schon, dass er es aufknöpft, um Topsi seine Narbe zu zeigen. Aber das tut er dann doch nicht.
Lang und breit erzählt er jetzt von den Tagen, in denen er in russischer Gefangenschaft war. Und wie er da ausgerissen ist mit seinem Freund Karl. Tagelang sind sie über die Autobahn in Brandenburg Richtung Heimat gelaufen, und einmal haben sie da eine tote Kuh gefunden. Das beste Fleisch haben sie sich rausgeschnitten und vor Hunger ausgelutscht. Dann waren sie noch drei Tage in amerikanischer Gefangenschaft. Aber auch da sind sie heimlich weg.

»Eines Tages mussten wir über die Mulde bei Dessau«, erzählt Opa Rudolf weiter. »Eine ziemlich gefährliche Sache.

In einem Wäldchen am Ufer hatten sich so an die zwanzig deutsche Soldaten versteckt. Alle wollten über den Fluss. Aber keiner traute sich. Die Stadt war voller Amerikaner. Eine Brücke gab es nicht mehr. Die Mulde ist nicht so breit wie die Elbe, aber eine ganz schöne Strömung hat sie auch. ›Karl‹, sage ich, ›es hilft alles nichts, hier müssen wir rüber.‹ Da gesteht mir doch mein Freund Karl, dass er nicht schwimmen kann. Ha, denke ich, das hat mir gerade noch gefehlt. Aber wie ich mich am Ufer umschaue, sehe ich so eine lange Stange, da sage ich zu Karl: ›Was auch passiert‹, sage ich, ›daran hältst du dich fest und lässt nicht los!‹ Ich also vor, und Karl hinter mir hält sich an der Stange fest. Ungefähr in der Mitte vom Fluss habe ich keinen Grund mehr unter den Füßen. Ich lege mich auf den Rücken, habe aber nur eine Hand frei. Mit der anderen halte ich die Stange, und an der Stange der Rucksack und hinten Karl. Und der schluckt dann auf einmal Wasser und fängt an zu schreien und zu strampeln, hält sich aber an der Stange fest und zieht mich mit runter. Ich dachte, es ist vorbei, aber ich weiß auch nicht, irgendwie hatten wir einen Schutzengel, irgendwie hat es uns dann doch ans andere Ufer getrieben.«
Eine Weile sagt keiner etwas. Sie fahren einen Berg hinauf hinter einem Lastwagen her, und Henning versucht vergeblich zu überholen.
»Das war eine Sache von Sekunden«, sagt Opa Rudolf. »Wie leicht hätte alles ganz anders kommen können. Ach, eigentlich den ganzen Krieg über. Stellt euch vor, ich wäre untergegangen. Euer Vater wäre nicht geboren. Und ihr wärt auch nicht auf der Welt.«

»Das kann man sich doch gar nicht vorstellen, Opa«, sagt Nele.
Mit Mühe verdreht Opa Rudolf seinen Hals noch ein Stück weiter, und sein großes rotes Gesicht sieht Nele wie erstaunt an. »Ja, da hast du Recht«, sagt er. Es scheint, als sei er von weither für kurze Zeit in der Gegenwart gelandet und müsse sich orientieren. Dann dreht er sich zu Henning und sagt: »Jetzt müssten wir aber gleich da sein.«
Henning ist endlich an dem Lastwagen vorbei und schert rechts ein. »Zehn Kilometer noch«, sagt Henning.
Da wendet sich Opa Rudolf wieder den beiden Mädchen auf dem Rücksitz zu, fährt sich über die Stirn und sieht auf die Armbanduhr. »Jedenfalls«, sagt er, »am zweiten Pfingsttag fünfundvierzig sind wir von Nordosten her einen langen Weg im Wald bergauf, und als wir fast oben waren, war der Wald dann zu Ende, und da standen so zwei, drei kleine Arbeiterhäuser, und vor einem Haus war eine ältere Frau im Garten, die haben wir nach dem Weg gefragt. Ich sehe sie noch vor mir. Sie hatte sich gerade ein paar Blumen gepflückt. Es war ja Mai und die schönste Jahreszeit. Als wir sie angesprochen haben, hat sie sich erschrocken umgedreht, und da standen wir vor ihr. Dreckig und zerlumpt, wie wir waren. Ganz lange hat sie uns angesehen, und dann hat sie den Kopf geschüttelt. Ich dachte schon, gleich läuft sie weg oder schreit um Hilfe, aber dann hat sie gesagt: ›Herzlich willkommen! Rein mit euch, Jungens, ich mach euch was zu essen.‹ – Ich kann euch gar nicht sagen, wie das war für uns damals. Zum ersten Mal hat uns wieder jemand als Mensch behandelt. Vielleicht hat sie einen Mann ge-

habt, der noch im Krieg war, oder einen Sohn. Ich weiß es nicht. Es war eine ganz einfache Frau, sie hat bestimmt nicht zu den Reichen gehört. Aber das Kotelett hat geschmeckt, ich kann euch sagen, wie es bei Fürsten und Königen nicht besser schmecken kann. – Und wie wir dann weiter sind, ein paar hundert Meter nur von dem Haus entfernt, an einer Kreuzung, sehe ich vom Sonnenstein runter, und da sehe ich die Berge meiner Heimat vor mir liegen. Das war ein Gefühl – ich kann es gar nicht beschreiben. Und gegen Abend bin ich dann zu Hause gewesen.«

Opa Rudolf schweigt. Eine Weile bleibt er noch in seiner unbequemen Haltung auf die Sitzlehne gestützt und sieht Topsi an, als erwarte er, dass sie nun etwas dazu sagt. Aber Topsi weicht seinem Blick aus und sieht zum Fenster hinaus. Da dreht Opa Rudolf sich um, blickt nach vorn und sagt zu Henning: »Sind wir denn immer noch nicht da?«

»Geduld, Geduld«, sagt ausgerechnet Henning.

Von allen Geschichten, die ihr Großvater immer wieder erzählt, ist Nele die Fluchtgeschichte die liebste. Weil sie am Sonnenstein endet, und weil das Ende eigentlich ein Anfang ist. Irgendwie auch ein Anfang zu ihrem, zu Neles Leben.

3

»Hier ist es«, sagt Opa Rudolf. »Hier müssen wir jetzt ganz durch.«
Sie fahren in ein lang gestrecktes Dorf ein, mitten im Ort ein graues Gebäude mit der Aufschrift »Bertolt-Brecht-Oberschule«. An vielen Häusern ist neuer Putz, die Straße entlang besorgen Bagger die Verkabelung. Schilder von Versicherungen, Raiffeisenbank, Schwäbisch Hall und das neue Persil – äußerlich unterscheidet sich das Dorf kaum noch von denen auf der anderen Seite der ehemaligen Grenze.
»Hier links und dann den Berg hoch.« Opa Rudolf kratzt sich am Kopf. Eigentlich nur für sich sagt er: »Wir kommen jetzt natürlich von der anderen Seite.«
Wo die Häuser aufhören, sind Wiesen, Felder und Wald, viel Wald ringsherum, eine Idylle. Sie fahren noch ein Stück bergan, bis zu einer Kreuzung. »Sieht noch aus wie vor fünfzig Jahren!«, sagt Opa Rudolf und kann seine Aufregung kaum noch verbergen.
»Langsam mal, jetzt mal langsam!«, ruft er. »Und dann links, und am besten halten wir dann mal an.«

Henning verdreht die Augen und grinst. Er fährt an der Kreuzung links ab, hundert Meter weiter biegt er in einen Waldweg ein und parkt.

Opa Rudolf dreht sich aus dem Autositz, dann steht er in der Tür, die Hand auf dem Autodach, und starrt, den Mund halb geöffnet, zur gegenüberliegenden Seite der Straße hinüber.

Henning schlägt die Fahrertür zu und schließt ab. »Wir gehen mal auf den Berg rauf«, sagt er. »Ihr könnt ja dann auch da hinkommen, Nele. Oder wir treffen uns wieder hier am Auto.«

Dafür hat er mich mitgenommen, denkt Nele. Damit er sich ja nicht um Opa kümmern muss.

Henning ist schon drauf und dran zu gehen. »Alles klar, Nele?«

»Musst du Opa fragen.«

Der Großvater ist weit weg in Gedanken. Henning muss alles noch einmal sagen, und wegen Opa Rudolfs Schwerhörigkeit sagt er es übertrieben laut und als sei jedes Wort eine Anstrengung.

»Ja, ja, geht nur, geht«, sagt Opa Rudolf. »Lasst euch nicht aufhalten.«

Henning und Topsi verschwinden den Waldweg hinauf, Nele und Opa Rudolf gehen zur Straße vor. Opa Rudolf bleibt stehen, stützt eine Hand in die Seite, die andere auf den Spazierstock und sieht sich um. In der Nähe der Kreuzung steht ein Wohnhaus mit schwarzem Giebel, daneben eine Art Wirtschaftsgebäude, ein Stück weiter eine zerfallene Scheune aus dunkelgrauem Stein. Aus einem Fenster-

loch windet sich das Rohr eines Gebläses. Neben der Scheune scheint es keine weiteren Häuser mehr an der Straße zu geben. Weit und breit ist kein Mensch zu sehen.
Opa Rudolf schüttelt den Kopf. »Nein«, sagt er, »es ist wohl doch ein Stück weiter unten.«
Sie gehen am linken Straßenrand entlang, an dem hohe Birken stehen, und nach einer Weile entdecken sie einen Schotterweg, der zu einem großen Haus hinführt, ein paar hundert Meter von der Straße weg in einer Senke am Waldrand. Es ist ein seltsam verschachteltes Haus, als seien zwei, drei Häuser ineinander gebaut und viele Ställe angeflickt. Sie hören Hämmern von dort, aber Opa Rudolf schüttelt den Kopf und sagt: »Das ist es nicht.«
Bis zum Waldrand aber ist kein Haus mehr zu sehen. Trotzdem geht der Großvater langsam bis dorthin, er ist jetzt wie hypnotisiert. Er kehrt um, starrt gespannt auf den Streifen Gras vor dem Waldrand, als müsse dort jeden Augenblick das Arbeiterhaus und der Garten von vor fünfzig Jahren aus der Erde wachsen.
Dann bleibt er stehen, und wie durch einen Schleier sieht er Nele an, lächelt und sagt: »Na, vielleicht ist sie weggezogen, oder vielleicht ist sie auch schon gestorben. Man weiß ja nicht.«
Nele sieht ihm tief in die Augen. Mensch, Opa, denkt sie, das kann doch nicht dein Ernst sein. Du bist jetzt dreiundachtzig. Mal angenommen, die alte Frau von damals war noch nicht so sehr alt, vielleicht sechzig, dann wäre sie heute hundertundzehn. So alt werden nicht viele.
Sie gehen weiter, und Nele fühlt sich ihrem Großvater so

nah wie selten. Sie legt ihm den Arm auf die Schulter und küsst ihn auf die Wange.

»Mädchen«, sagt der Großvater und sieht sie erstaunt an. »Was ist denn los?«

»Ach nichts«, sagt Nele. »Nur so.«

»Du meinst, du musst mich trösten? Das brauchst du nicht.«

»Ich weiß, Opa.«

Als sie wieder auf der Höhe des Schotterwegs sind, sagt Nele: »Wollen wir nicht doch mal da runter? Vielleicht treffen wir wen.«

Opa Rudolf bleibt stehen und sieht den Weg entlang. Das Gehen fällt ihm schwer. »Da müssen wir dann auch wieder hoch«, sagt er, aber schließlich gibt er sich doch einen Ruck, und als würde er Nele einen Gefallen tun, sagt er: »Na komm. Wenn wir schon mal hier sind.«

Das verschachtelte Haus sieht aus wie eine zusammengeflickte Burg. Der Schotterweg führt daran vorbei, schlängelt sich durch Wiesen und Felder und mündet im Wald. Man könnte glauben, man ist auf einer einsamen Alm. Auf der Wiese hinter dem Haus weiden Schafe und Ziegen. Von dort kommt auch das Hämmern. Zwei Männer schlagen Weidepfosten in die Erde. Als Nele und ihr Großvater näher kommen, erkennen sie einen alten Mann und einen Jungen. Ohne zu zögern, setzt Opa Rudolf seinen Spazierstock ins Gras und geht auf sie zu.

»Entschuldigen Sie, dass wir hier einfach so einbrechen«, ruft er schon von weitem. »Ich habe mal eine Frage.«

Die beiden am Zaun drehen sich um und sehen ihnen ent-

gegen. Der Junge ist blond, lang und staksig, er hält eine Axt in der Hand, der Alte, einen Kopf kleiner, hat einen silbergrauen Haarkranz und blinzelnde, wachsame Augen.
»Es ist nämlich so«, sagt Opa Rudolf und bleibt vor ihnen stehen. »Mai fünfundvierzig bin ich aus der Gefangenschaft von Berlin zu Fuß hier rüber ...«
Tatsächlich erzählt er nun noch einmal den letzten Teil seiner Fluchtgeschichte, und Nele wundert sich, wie er wildfremden Menschen gleich mit dieser persönlichen Sache ins Haus fallen kann.
Aber der Alte hört ihm aufmerksam zu, nickt sogar ein paar Mal, und als Opa Rudolf fürs Erste zu Ende ist, sagt er: »Ja, das war eine Zeit damals. Man war froh, wenn man das nackte Leben hatte.«
Opa Rudolf nickt und fragt: »Sagen Sie, diese kleinen Häuser da oben an der Straße, die gibt's wohl nicht mehr?«
»Nein«, sagt der Alte. »Ich weiß auch nichts davon. Aber wir können ja mal meine Frau fragen. Die ist von hier. Vielleicht kann sie sich noch erinnern.«
»Das wäre sehr freundlich«, sagt Opa Rudolf.
»Kein Problem. Wir sind sowieso gerade fertig. Kommen Sie mit.«
Bevor sie losgehen, wird Opa Rudolf förmlich. »Gestatten Sie, dass ich mich vorstelle«, sagt er und streckt die Hand aus. »Rudolf Lentz. Und das ist meine Enkelin Nele.«
Die beiden alten Männer drücken sich die Hände. »Georg Klinger«, sagt der andere. »Und Martin, mein Enkel.«
Nele und der Junge nicken fast gleichzeitig, und Nele kann sich dabei ein Lächeln nicht verkneifen.

Der Junge lächelt nicht. Er sieht ernst aus und abweisend. Nele streicht sich das dunkle Haar aus der Stirn und vergräbt dann die Hände in den Hosentaschen. Der Junge beobachtet sie aus den Augenwinkeln, sagt aber keinen Ton. Schweigend gehen sie hinter ihren Großvätern her.
Bevor sie das verschachtelte Haus erreichen, wissen die beiden Alten voneinander, in welchen Kompanien der andere Soldat war und dass sie beide im Krieg in Frankreich, Holland, Belgien, Dänemark und in Russland gewesen sind. Vielleicht gar nicht weit voneinander entfernt. Nele kann sich schon denken, was jetzt kommt.
Großvater Klinger öffnet eine Tür im Holzzaun. Im Hof picken Hühner im Gras, aufgestapeltes Holz an den Stallwänden, eine Schar Entengössel in einem Drahtverschlag, alles sieht irgendwie improvisiert aus, aber aufgeräumt und ordentlich. Der Junge schlägt die Axt in einen Hackklotz.
Sie gehen auf dem Kiesweg um das Haus herum und kommen auf einen schattigen Platz, von dem aus man einen überraschend weiten Blick über eine blumenbunte Wiese ins Tal bis zum Wald hat. Dieser Teil des Hauses ist holzverkleidet, vor der Haustür ist eine überdachte Veranda, zu der drei Stufen hinaufführen. Dort ist ein Kaffeetisch gedeckt, Wespen umschwirren den Apfelkuchen.
Opa Rudolf sieht sich um. »Schön haben Sie's hier«, sagt er schließlich.
Herr Klinger nickt erfreut. Dann streckt er die Hand einladend in Richtung Kaffeetisch aus und sagt: »Wir dürfen Sie doch zu einem Tässchen einladen, bitte.«
Opa Rudolf strahlt. Zum zweiten Mal in seinem Leben

wird er am Sonnenstein von wildfremden Menschen eingeladen. Der Sonnenstein ist sein Ort. Lächelnd wendet er sich seiner Enkelin zu und sagt: »Was meinst du, Nele, können wir das denn annehmen?«
Nele ärgert sich, dass der Junge keinen Ton sagt, sie aber unablässig anstarrt. Als Opa Rudolf ihr jetzt diese Frage stellt, zu der ihr doch nur eine Antwort übrig bleibt, meint sie in den Augen des Jungen ein offen feindliches Blitzen zu sehen, als wolle er sagen: Macht bloß, dass ihr wegkommt. Mit Nachdruck sagt Nele: »Aber natürlich, Opa. Wenn wir so freundlich eingeladen werden.«
»Käthe!«, ruft Herr Klinger durch die offene Haustür. »Wir haben Westbesuch!«
Auf den knarrenden Dielen erscheint eine große Frau mit blau bestickter Schürze und einem grauen Haardutt. Wie von einer Bühne blickt sie auf sie herab, ist erst einmal verwirrt, aber dann besinnt sie sich und sagt: »Na so was«, und dann: »Martin, hol zwei Stühle aus der Stube. Und ich werd mal noch eine Kanne Kaffee machen.«
Zehn Minuten später sitzen sie alle am Kaffeetisch. Auf der Veranda ist es angenehm kühl. Ein wenig dunkel ist es hier auch. Aus dem dämmrigen Licht hat man einen wunderschönen Blick in die Natur. Als säße man auf einem Hochsitz am Rand einer Waldwiese.
Aber die beiden alten Männer sind in ihrem Gespräch weit weg. Die Erinnerung hat sie fortgetragen vom Sommer in den Winter, von den heimatlichen Hügeln in die unendlichen Weiten Russlands. Eis und Schnee regieren, Zehen und Finger frieren ab, letzte Zigaretten in Schützengräben

werden geraucht, Menschen sterben wie Fliegen, Pferde krepieren, Flugzeuge fallen vom Himmel.
All der Wahnsinn, denkt Nele, und sie fühlt sich beklommen, je länger sie zuhören muss.
Die Frau vom Sonnenstein hat nur ganz kurz eine Rolle gespielt. Frau Klinger hat sich erinnern können, und Opa Rudolf hat jetzt einen Namen. Dora Steinke. Kriegerwitwe. 1965 gestorben im Alter von 83 Jahren. Die beiden kleinen Häuser oben an der Straße gehörten später zur LPG. 1970 sind sie abgerissen und an ihrer Stelle ist die große Scheune gebaut worden.
Zu Neles Enttäuschung hat Opa Rudolf getan, als ginge ihn das nicht viel an, hat nicht weiter gefragt und fast übergangslos wieder vom Strammstehen, Exerzieren, von Befehl und Gehorsam gesprochen.
Nele sieht ihren Großvater an. So nah er ihr vor einer halben Stunde noch war, so fern ist er ihr jetzt.
Die beiden Alten reden und reden. Sie haben sich gefunden, und nun lassen sie sich so schnell nicht mehr los.
Der Apfelkuchen ist gegessen, der Kampf gegen die Wespen bestanden, Kaffee mag sie jetzt keinen mehr. Nele fühlt sich unbehaglich unter den Blicken des Jungen, der nichts sagt. Die beiden schwerhörigen Großväter unterhalten sich lautstark. Sie mag nun nicht mehr länger zuhören.
Nele dreht sich dem Jungen zu und fragt: »Wo geht es denn hier auf euren Berg?«

Eine Weile scheint es, als müsse er überlegen, ob er überhaupt antworten will. Dann nickt er über die Schulter und sagt so beiläufig wie möglich: »Straße rauf. Dann links.«

»Danke, sehr freundlich«, sagt Nele mit besonderer Betonung.
Sie legt Opa Rudolf die Hand auf den Arm, unterbricht ihn einfach mitten in einem Panzerangriff und sagt: »Ich geh schon mal los. Will noch mal auf den Berg rauf. Kommst du zum Auto, oder soll ich dich holen?«
»Geh nur«, sagt Opa Rudolf. »Ich komm dann nach.«
Nele bedankt sich bei Frau Klinger, nickt auch Herrn Klinger noch einmal zu, dann dreht sie sich um und geht.
Während sie die Stufen der Veranda hinunterläuft, merkt sie plötzlich, dass niemand mehr redet.
Wahrscheinlich starren sie alle hinter mir her, denkt Nele.
Aber sie dreht sich nicht um und geht entschlossen über den Kiesweg und um das verschachtelte Haus herum.
Oben an der Straße geht sie an der zerfallenen Scheune vorbei. Einen Moment lang bleibt sie stehen wie Opa Rudolf, wenn er über etwas nachdenkt. Da also. Der Garten, die Maiblumen, das kleine Haus.
Man müsste mal auf den Friedhof gehen, denkt Nele. Vielleicht gibt es das noch, das Grab von Dora Steinke.

4

Unterhalb der Bergkuppe macht die Straße einen scharfen Bogen nach rechts auf waldige Hügel zu. An dieser Stelle geht nach links ein breiter Schotterweg ab. Auf einem mit Drahtzaun begrenzten Gelände steht hier ein lang gestrecktes Flachdachgebäude, über der Tür ein Schild »Zum Sonnenstein«. Kein Mensch ist zu sehen. Hinter dem Haus läuft ein großer, struppiger Schäferhund auf und ab.

Nele geht schneller und behält dabei den Hund im Auge.

Erst als sie sich ein Stück bergan in sicherer Entfernung fühlt, dreht sie den Kopf und erschrickt. Da, wo sie weite Sicht in die Landschaft hinein Richtung Osten erwartet hat, prallt ihr Blick auf rotbraune Steilwände. Ein künstlicher Berg erhebt sich vor ihren Augen. Fast so hoch wie die Kuppe des Sonnensteins. Die Abraumhalde eines Bergwerks. An drei, vier Stellen ragen Förderbänder über den Kamm und sehen von weitem aus wie Kanonen, die den künstlichen Berg bewachen.

Nele bleibt stehen und staunt. Sie hat keine Ahnung, dass

hier ein Bergwerk ist. Opa Rudolf hat kein Wort davon gesagt.
Langsam geht sie weiter bis zu einem Schaukasten, in dem hinter Glas Gereimtes über den Sonnenstein hängt. Nele liest ein paar Zeilen, aber irgendwie fühlt sie sich wie angezogen von dem künstlichen Berg und muss immer wieder hinübersehen. Ein Dorf liegt im Tal am Fuße der Halde. Zwei Schornsteine ragen von dort auf. Sie stellt sich vor, sie würde in dem Dorf wohnen. Jeden Tag beim Aufwachen die rotbraune Wand.
Nele versucht noch einmal, die Sonnenstein-Reime zu lesen. Sie sind ungefähr so holprig wie die, die Opa Rudolf früher bei Familienfeiern vorgetragen hat:
»Nur aus der Ferne konntest du den Sonnenstein seh'n. ›Militärisches Objekt‹. ›Verbot‹. ›Nicht zu begeh'n‹.«
Die Verse sind 1990 gemacht, sieht Nele. Das war die Zeit, wo sich noch alle gefreut haben, denkt sie.
Auf einmal meint Nele im Glas des Schaukastens eine Bewegung zu sehen und dreht sich um.
Der Junge. Der blonde, staksige. Der Schweiger. Er kommt langsam auf sie zu, als müsse er jeden Schritt bedenken. Endlich bleibt er stehen, die Hände tief in den Taschen, sieht sie an und sagt: »Du kennst mich nicht mehr, was?«
Nele mustert ihn von oben bis unten, und weil er so lang ist, dauert es. Kein Zentimeter an ihm kommt ihr bekannt vor.
»Auf den Trick fall ich nicht rein«, sagt Nele.
Aber sein Gesicht bleibt unverändert ernst. »Weihnachten«, sagt er. »Vor fünf Jahren.«
Wer weiß, was vor fünf Jahren war? Nele versucht sich zu

erinnern. Sollte er etwa ...? Noch einmal sieht sie ihn ausführlich an. An seinen Augen schließlich erkennt sie ihn.
»Du Schande«, sagt Nele. »Sag bloß ...«
Er nickt, und auf seinem Gesicht ist jetzt tatsächlich die Spur von einem Lächeln zu sehen.
Im Dezember vor fünf Jahren, 1989, kurz vor Weihnachten, das war das »Projekt«. Neles Lehrerin Ortrun Wagner hatte es groß angekündigt: Wir laden eine Schulklasse aus der DDR ein. Wir besuchen uns dann immer wieder, hin und her, wir lernen uns kennen, und vielleicht entsteht eine Patenschaft.
Aber dann hatte Ortrun Wagner es schwer gehabt, eine Schulklasse zu finden, die bereit war, ihre Einladung anzunehmen und über die Grenze zu kommen. Bis zur letzten Minute war alles ungewiss. Sie hatten ihren Klassenraum mit Kerzen und Tannengrün geschmückt und bunte Teller mit Nüssen und Weihnachtsgebäck auf die Tische gestellt. Es klingelte, aber die Gäste kamen nicht.
»Schade«, sagte Ortrun Wagner. Aber irgendwie schien sie auch erleichtert.
Zwanzig Minuten später klopfte es zaghaft an die Tür. Da standen sie dann doch: eine halbe DDR-Schulklasse, zwölf Schülerinnen und Schüler mit ihrer rotwangigen Lehrerin. Sie waren außer Atem, hatten sich in der Stadt verfahren, im Schulgebäude verlaufen, und als sie im Gänsemarsch in die Klasse kamen, hatte Nele schon das Gefühl, dass es nicht gut gehen würde. Trotz der vielen vorbereitenden Gespräche starrten alle die anderen an, als seien es Zirkustiere, die in die Manege geführt wurden.

Gegen ihren Willen wurden die aus der DDR auf die Tischgruppen verteilt. Der blonde Junge neben Nele. Wie die meisten aus seiner Klasse verwandelte er sich auf der Stelle zu Stein und sagte kein Wort. Die Adventskerzen brannten, und das Gebäck blieb unangerührt.

Die rotwangige Lehrerin hielt eine lange Rede. Sie sprach davon, dass in ihrer Schule bisher vieles anders war, aber so schlecht denn wohl doch nicht. Die positiven Kräfte des Kollektivs, auf die sie viel Wert gelegt hätten, seien doch immer noch gut, egal, wie die Zeiten sich wandelten. Je länger sie sprach, desto mehr sprach sie eigentlich zu ihrer Lehrer-Kollegin und als müsse sie sich verteidigen. Nele spürte die Angst, die hinter all diesen Worten versteckt war, und ihr wurde beklommen zu Mute.

Die fremde Lehrerin verhaspelte sich immer öfter beim Reden, und schließlich kam es, wie es in ihrer Klasse kommen musste: Irgendwann begann das Tuscheln und Nachäffen und wurde immer lauter. Eine Weile versuchte die fremde Lehrerin dagegen anzureden, sie wurde selbst immer lauter, sprach immer schneller, und alles, was sie sagte, war ihr ein Anliegen, das merkte man. Aber nun geriet sie ins Stottern, und schließlich übertönten das Gemurmel und die Albernheiten ihre Stimme, sie schüttelte verzweifelt den Kopf, brach mitten im Satz ab und wandte sich vorwurfsvoll an Ortrun Wagner.

Die hatte Mühe, die Situation noch einmal zu kitten. »Ich bin enttäuscht von euch«, sagte Ortrun Wagner zu ihren Schülern und setzte Mark und Henner vor die Tür. Dann redete sie sich wieder in milde Stimmung und schlug vor, das

Knoten-Spiel zu machen. Zur Auflockerung. Zum Kennenlernen.

Sie standen schon alle im Kreis, die Hände vorgestreckt, da sah Nele, dass der blonde Junge sitzen geblieben war. Sie sagte es Ortrun Wagner, die sprach mit ihrer Kollegin.

»Lassen Sie ihn in Ruhe«, flüsterte die andere. »Er hat es schwer.«

Aber Ortrun Wagner hörte nicht auf sie. Vielleicht war es ihr Versöhnungsdrang, vielleicht wollte sie es ihrer Kollegin zeigen. Sie setzte ihr freundlichstes Lächeln auf und ging zu dem Jungen hin.

»Willst du nicht kommen?«, fragte sie. »Du wirst sehen, es macht wirklich Spaß.«

Der Junge rührte sich nicht und starrte auf die Tischplatte. Da stellte sich Ortrun Wagner neben ihn und legte ihm vorsichtig die Hand auf die Schulter.

Kaum hatte sie ihn berührt, sprang er auf.

»Ich mache nicht mit!«, rief er ihr über die Schulter zu, und als er hoch erhobenen Hauptes an Nele und ihren Mitschülern vorbeiging, sagte er tief von innen heraus: »Ihr spinnt ja alle!«

Zielstrebig steuerte er auf die Tür zu, erst seine Lehrerin hielt ihn auf.

Ohne ein Wort, wie auf Verabredung, lösten sich alle anderen aus seiner Klasse aus dem Kreis, stellten sich um ihn herum und drängten zur Tür.

»Nein!«, rief die erschrockene Ortrun Wagner. »Bleibt da! Entschuldige bitte! Es tut mir Leid! So kann das doch nicht ausgehen!«

Die anderen blieben stehen, drehten sich nach ihr um, und vielleicht wären sie auch zurückgekommen, hätte nicht Kevin Röll, der Klassenclown, gerade in diesem Augenblick peinlichen Schweigens gesagt: »See you later, alligator!«
Im Gänsemarsch waren sie gekommen, im Pulk gingen sie wieder. Ortrun Wagner lief ihnen noch bis ins Treppenhaus hinterher, kam aber schon bald mit hängenden Schultern zurück. Sie griff Kevin Röll am Hemd, zog ihn zu sich heran, und Nele kann sich noch gut daran erinnern, wie sie alle ihre Lehrerin erwartungsvoll anstarrten, wie sie alle dachten, jetzt vergisst sie sich und schmiert ihm eine.
Aber es war viel schlimmer. Ortrun Wagner stand eine Weile zitternd vor Kevin. Der duckte sich schon. Aber die Lehrerin stieß ihn von sich weg und schrie: »Du weißt ja gar nicht, wie blöd du bist!« Heulend rannte sie aus der Klasse.
Fünf Jahre ist das her. Und jetzt steht da auf einmal dieser lange, blonde, fremde Junge und sagt: Ich bin der von damals. In ihrer Verblüffung fällt Nele erst einmal nichts Besseres ein als ihrer Tante Ingrid, wenn sie sich nach langer Zeit mal wieder sehen, und sie sagt: »Du bist aber groß geworden.«
Der Junge verzieht das Gesicht.
»Ich habe dich echt nicht erkannt«, sagt Nele.
»Ich dich sofort.«
Eine Weile stehen sie voreinander und sagen kein Wort. Schließlich sagt Nele: »Kommst du mit rauf? Zeigst du mir euren Berg?«
Der Junge nickt und setzt sich langsam in Bewegung.

Nele geht neben ihm her. Ihr Blick fällt wieder auf den rotbraunen künstlichen Nebenberg.

»Sag mal, ich war noch nie hier«, sagt Nele. »Was ist das für ein Berg?«

»Bischofferode«, sagt der Junge wie beiläufig. »Holungen das Dorf da unten. Bischofferode dahinter. Und der Schacht Thomas Münzer. Kalibergbau. Abgewickelt. Weißt du ja wohl.«

»Das ist Bischofferode?« Nele staunt. Natürlich hat sie davon gehört. Eine Zeit lang flimmerte das jeden Abend durch die Nachrichten. Verzweifelte Bergleute im Hungerstreik. Transparente. Demonstrationen. Angst um den Arbeitsplatz.

»Das ist ganz in unserer Nähe«, hatte Neles Vater gesagt. Aber hinfahren wollte er wegen des Rummels nicht.

Dann war alles irgendwie zu Ende gegangen, und Nele hatte nicht genau mitbekommen, wie. Anderes war wichtiger geworden, in den Nachrichten sprach schon lange niemand mehr von Bischofferode.

Den künstlichen Berg hatte sie auf der Mattscheibe nie gesehen. Auch Opa Rudolf hatte nichts davon erzählt.

»Echt ein Monsterberg«, sagt Nele. »Ist das nicht komisch, wenn man den jeden Tag angucken muss?«

»Man gewöhnt sich daran«, sagt der Junge.

Schweigend gehen sie bergan. Am Horizont kommen blau die Harzberge in Sicht. Nele sieht den Jungen von der Seite her an. Er erscheint ihr jetzt ganz anders als unten am Zaun um die Schafweide.

»Habt ihr eure Lehrerin noch?«, fragt Nele.

Sein Gesicht zieht sich zusammen, als hätte sie keine dümmere Frage stellen können.
»Abgewickelt«, sagt er schroff. »Schon lange. Sie trägt jetzt Zeitungen aus.«
»Warum denn das?«
»Du stellst vielleicht Fragen«, sagt er bitter. »Warum? Weil sie in der Partei war. Weil sie an was geglaubt hat. Weil sie sich nicht verstellen kann. Weil ihr jetzt das Sagen habt. Weil ihr auf uns rumtrampelt. Weil alles nur noch nach dem Geld geht. Reicht das?«
Nele antwortet nicht. Sie muss an die rotwangige Lehrerin denken, wie sie sich vergeblich bemüht hat zu erklären, was bei ihnen anders war. Niemand wollte sie hören.
»Damals hat sie noch gedacht, es würde alles besser«, sagt der Junge weiter. »Die DDR würde bleiben, nur demokratisch. Ein Jahr später haben sie sie vor die Tür gesetzt. Egal, ob sie eine gute Lehrerin war oder nicht.«
»Du hast sie gemocht?«, fragt Nele.
Der Junge antwortet nicht. Sein Schweigen ist wie ein Vorwurf.
»Aber irgendwer muss das doch gemacht haben«, sagt Nele.
»Was?«, fragt der Junge.
»Dass sie euch eingesperrt haben«, sagt Nele. »Dass sie euch bespitzelt haben. Dass sie an der Grenze Menschen totgeschossen haben. Dass man nicht alles sagen konnte. Dass alles zusammengefallen ist. Irgendwer muss doch dafür verantwortlich sein.«
Der Junge sucht mit den Augen den Himmel ab.

Dann schüttelt er den Kopf. Leise sagt er: »Nicht Thea Struwe.«
Nele ist überrascht, dass ein langer Kerl wie er so leise sprechen kann. Sie überlegt, ob sie ihn altmodisch finden soll.
Der Wind streicht über die Bergkuppe und beugt das gedörrte Gras. Eine Welle kommt ihnen entgegen, beugt auch Kerbel und Rittersporn und Wolfsmilch und läuft neben ihnen aus. Hundert Meter weiter fällt der Berg steil ab, davor ist ein großes Holzkreuz, unweit davon ein Steinklotz, oben flach. Der Sonnenstein, hat Nele im Schaukasten gelesen, war ein Opferort zu Ehren der Sonne. Die Germanen haben hier Pferde geopfert, manchmal auch Menschen.
Nele bleibt stehen. Der Ausblick lässt sie den Atem anhalten. Es scheint ihr, als könne man von hier in alle Fernen schauen. Auch wenn Opa Rudolf es nur von weiter unten, nur von der Kreuzung aus gesehen hat, jetzt kann sie verstehen, warum das fünfzig Jahre in ihm geblieben ist. Nele vergisst den Jungen neben sich und läuft zur Bergkante vor. Als er wieder neben ihr ist, sagt sie atemlos: »Sieh dir das an! Wie aus dem Flugzeug!«
»Hm«, sagt der Junge, »ich war hier schon mal.«
Aber Nele hört ihn gar nicht.
»Wenn die Thermik stimmt«, sagt sie, »wäre das ein Berg für Drachenflieger.«
»Für wen?«
»Für Drachenflieger. Vor ein paar Jahren waren wir in den Ferien in der Fränkischen Schweiz. Da war auch so ein Berg. Die Aussicht vielleicht nicht ganz so wie hier. Da sind die Drachenflieger gestartet. Hundert Meter Anlauf mit

dem ganzen Gestell, ein Stück den Hang runter, Sprung – Flügel ausbreiten und los.«
Er sieht den Hang hinunter, dann in die Wolken, als sei sie soeben vor ihm in die Luft gegangen.
»Würdest du das machen?«, fragt er.
Nele schüttelt den Kopf. »Nein«, sagt sie. »Wahrscheinlich wär ich zu feige. Aber toll wär das schon. Stell dir vor, du schwebst da über der Landschaft. Wie ein Vogel in der Luft.«
»Weiß nicht«, sagt der Junge und lächelt. Er gibt sich Mühe, ihrem Blick auszuweichen.
»Von hier könnte ein Drachenflieger ohne Probleme bis in unser Dorf fliegen«, sagt Nele. »Warte mal, das müsste ...«
»Soll ich's dir zeigen?«
»Wieso? Woher weißt du ...?«
»Dein Großvater hat's doch gesagt.«
»Ja«, sagt Nele. »Aber woher weißt du, wo unser Dorf liegt? Dachte, du willst nichts wissen von uns?«
Er sieht vor sich hin auf die Erde, und wenn sie nicht alles täuscht, ist er rot geworden.
»Es gibt Leute«, sagt er, »die sind gut in Luftkunde. Und es gibt Leute, die sind gut in Erdkunde.«
Bevor sie etwas dazu sagen kann, streckt er den Arm aus und zeigt in die Spielzeugwelt vor ihren Füßen. »Stückchen links von dem Fluss, die drei Hügel da – kennst du bestimmt –, davon Stückchen südöstlich, im Tal hinter dem lang gestreckten Wald, da liegt euer Dorf. Man kann es nicht sehen von hier.«
»Stimmt«, sagt Nele. »Bist du schon mal da gewesen?«

»Nein«, sagt er entschieden. Es klingt, als sei es für ihn immer noch etwas Verbotenes, in Neles Dorf gewesen zu sein.
»Wir wohnen in der alten Schule«, sagt Nele. »Seit sechs Jahren. Mein Vater ist aus dem Dorf. Und Opa Rudolf. Ich kenn da kaum jemanden. Vorher haben wir in der Stadt gewohnt.«
»Muss komisch sein«, sagt der Junge. »In der Schule wohnen.«
»Es ist noch viel schlimmer«, sagt Nele. »Meine Eltern sind Lehrer. Beide. Das heißt meine Mutter nicht mehr. Sie macht jetzt die Gemeindebibliothek. Und Volkshochschulkurse. Im alten Schulhaus.«
»Komisch«, sagt der Junge. »Meine Mutter ist auch Lehrerin.« Eine Weile sieht er sie prüfend an, dann sagt er es doch: »Gewesen.«
Die rotwangige Frau, denkt Nele. Am Ende ist das seine Mutter.
»Hier im Dorf?«, fragt sie.
Er schüttelt den Kopf. »Ich bin nicht von hier«, sagt er. »Ich wohne hier bloß. Bei meinen Großeltern. Seit fünf Jahren.«
»Und?«, fragt Nele. »Von wo bist du?«
»Mecklenburg«, sagt der Junge und nickt unbestimmt in die Ferne, als könne man vom Sonnenstein Mecklenburg sehen.
»Da muss es schön sein«, sagt Nele. »Bisschen wie Schweden, glaube ich. Viele Seen und so.«
»Hm«, sagt der Junge und dann nichts weiter.
Im letzten Moment verkneift Nele es sich doch, ihm von Schweden vorzuschwärmen. Sie sieht in die Richtung, in

der Mecklenburg sein muss, und sagt: »Und wie kommst du hierher?«
Er zögert lange mit einer Antwort, dann sagt er: »Frag mich lieber was Einfaches.«
Ihre Blicke treffen sich einen flüchtigen Moment lang, und Nele spürt eine seltsame Unsicherheit und eine seltsame Neugierde. Als würde sie unbedingt alles über ihn wissen wollen und als würde er nur darauf warten, es ihr zu sagen. Aber sie kennen sich doch überhaupt nicht. Da ist nur diese verunglückte halbe Stunde vor fünf Jahren. Zwei Großväter, die sich ihre Vergangenheiten erzählen. Zwei Mütter, die Lehrerinnen waren. Das reicht doch zu nichts. Und Mecklenburg ist so weit weg. Viel weiter als Schweden.
»Schade«, sagt Nele. »Ich hätt's gern gewusst.«
Er sieht vor sich hin auf die Erde und scheint zu überlegen, wie er anfangen soll.
Da hören sie Stimmen hinter sich.
»He Nele, was machst du denn hier oben?«, ruft Topsi.
Gleichzeitig drehen sie sich um.
»Du Schreck«, flüstert Nele. »Mein Bruder und seine Freundin.«
»Ich denke, du bist bei Opa«, sagt Henning.
Fehlt nur noch, er wirft ihr vor, dass sie sich nicht genug um Opa Rudolf gekümmert hat.
»Opa ist gut aufgehoben«, sagt Nele. »Er hat jemanden getroffen und trinkt Kaffee da unten.«
Während sie spricht, sind Topsi und Henning vor ihnen stehen geblieben, und Nele sieht Topsis neugierigen Blick auf den fremden Jungen. Auch Henning sieht so aus, als er-

warte er eine Erklärung. Wer mit wem, wie und warum, das ist ein Lieblingsthema von Topsi und Henning.
»Das ist Martin«, sagt Nele. »Ein alter Bekannter. Wir kennen uns schon seit fünf Jahren.«
»Dickes Ei«, sagt Topsi. »Was es nicht gibt.« Sie nickt dem Jungen zu, und Henning sagt: »Bist du von hier?«
»Hm«, sagt der Junge. Sein Gesicht ist wieder ernst und verschlossen. Kein Wort von Mecklenburg. Alles an ihm ist wieder nur Abwehr. Manche Gespräche können einfach nicht gut gehen. Nele weiß es schon vorher.
»Tolle Aussicht hier, was?«, sagt Henning.
»Ja«, sagt Martin.
»Kein Wunder, dass sie euch hier nicht hochgelassen haben damals«, sagt Henning. »Das ist alles Westen da unten.«
»Nicht alles«, sagt Martin.
»Ist doch jetzt ganz egal«, sagt Topsi lächelnd.
»Klar«, sagt Martin bitter. »Ist ganz egal. Gehört euch jetzt ja sowieso alles.«
»He«, sagt Henning. »Was bist denn du für einer? Kleine rote Socke, was?«
Martin antwortet nicht. Sein Blick geht weit hinaus über den künstlichen Berg, als sei niemand und nichts in seiner Nähe es wert, von ihm angesehen zu werden.
»Hör auf, Henning!«, sagt Nele.
Von ihrer Heftigkeit überrascht, sieht Henning seine Schwester an. Er überlegt einen Augenblick. »Na schön«, sagt er schließlich. »Ich nehme die rote Socke zurück.«
Martins Gesicht zeigt keine Reaktion. Henning kann zurücknehmen, was er will.

»Sei nicht so empfindlich«, sagt Topsi zu Martin, und es soll versöhnlich klingen. »Will dir doch keiner was.«
Martins Augen flackern unruhig. Aber er schweigt verbissen. Eine Weile stehen sie stumm voreinander herum.
Endlich sagt Henning: »Wird Zeit, dass wir wieder verschwinden. Wir wollen noch ins Kino heute Abend. Wo steckt Opa?«
»Unten«, sagt Nele. »Wahrscheinlich müssen wir ihn holen.«
»Na, dann los«, sagt Henning, dreht sich um und geht. Topsi, mit engem Rock und langen Beinen, stakst im Gras neben ihm her.
Nele bleibt stehen. Sie wünscht sich, Martin würde auch stehen bleiben und sie würden da weiterreden, wo sie unterbrochen worden sind.
Aber Martin sieht es nicht. Oder will es nicht sehen. Wie automatisch setzt er sich in Bewegung und geht hinter Topsi und Henning her.
Nele läuft ein paar Schritte, bis sie neben ihm ist. Sie sieht ihn von der Seite an.
Nichts als Abweisung kann sie aus seinem Gesicht lesen. Sie wagt nicht, ihn jetzt anzusprechen, und läuft einfach nur schweigend neben ihm.
Je länger sie so gehen, den künstlichen Berg vor Augen, desto mehr steigt in Nele die Wut auf Henning und Topsi. Als hätten sie ihr etwas zerstört, das nun vielleicht nie mehr zu kitten ist.
Auf der Landstraße geht Nele langsamer. Martin merkt es nicht und trabt weiter mit langen Schritten hinter Topsi und

Henning her. Schließlich dreht Henning sich um und fragt nach dem Weg. »Links runter«, sagt Nele.
Martin scheint blind für alle Signale, die Nele ihm sendet. »Hör mal«, sagt Nele schließlich leise. »Wenn du willst, komm doch mal bei uns vorbei. Du weißt ja, das Dorf hinter dem langen Wald.«
Er dreht ihr das Gesicht zu, aber Nele weiß nicht, ob er sie sieht. Schon sind seine Augen woanders. Trotzdem redet sie weiter: »Du müsstest dich aber beeilen. Donnerstag fahre ich weg. Zwei, drei Wochen mit dem Fahrrad Richtung Norden.«
Er geht weiter wie vorher. Nele ist nicht sicher, ob er sie überhaupt gehört hat. Und auf einmal stehen sie vor dem verschachtelten Haus.

»Kinder, das war mal ein schöner Nachmittag!« Opa Rudolf scheint wie verjüngt vom Ausflug in die Vergangenheit. Sie rollen im Auto durch das lang gestreckte Dorf, vorbei an der grauen Bertolt-Brecht-Schule, und Henning grinst gönnerhaft.
»Ein harter Fall, dein Freund«, sagt Topsi.
Nele antwortet nicht.
»Wo hast du den denn kennen gelernt?«, fragt Henning über die Schulter.
»Schule«, sagt Nele. »Vor fünf Jahren.«
»Dann war er damals ungefähr elf«, sagt Henning, »als der ganze Zauber hier zu Ende war. Versteh ich nicht, wieso er da heute noch immer so tut, als wär er im Zentralkomitee.«
»Verstehst du eben nicht«, sagt Nele. Aber ein gutes Gefühl

hat sie nicht dabei. Sie versteht es ja auch nicht. Aber sie würde es gern verstehen. Nur, dass es jetzt zu spät dafür ist. Der Junge hat sich kaum von ihr verabschiedet, ist einfach irgendwo in dem verschachtelten Haus verschwunden. Wahrscheinlich wird sie ihn nie wieder sehen.

Mit leisem Stöhnen dreht Opa Rudolf sich zu ihnen um und legt den Arm auf die Rückenlehne.

»Was verstehst du nicht, Nele?«, fragt er. In seinem roten Gesicht steht noch der Eifer der nachmittäglichen Unterhaltung. Alle Schlachten sind geschlagen, alle Befehle ausgeführt, der ganze Krieg noch einmal auf- und abgerollt vor den Augen zweier alter Männer auf einer Veranda mit schöner, aber unbeachteter Aussicht. Nele spürt schmerzlich, wie fern ihr Großvater jetzt gerückt ist, und sie weiß ganz genau, es ist egal, was sie auch fragt, er will doch nur ein Stichwort, damit er erzählen kann. Von sich und von sich und von sich. Wirkliche Fragen machen ihn nur hilflos in seinem Alter, und was morgen wird, ist seine Sorge nicht mehr.

»Ich verstehe nicht«, sagt Nele mehr für Topsi und Henning, »warum die Leute in der DDR alle dümmer waren als wir.«

Opa Rudolf sieht sie aus großen Augen an. Dann schüttelt er bedächtig den Kopf. »Die waren nicht dümmer als wir«, sagt er. »Die haben nur das Pech gehabt, in einer Diktatur zu leben. Die mussten machen, was ihnen gesagt wurde.«

Keiner widerspricht ihm, und nach kurzer Pause sagt Opa Rudolf: »Nimm zum Beispiel diesen Mann. Den Herrn Klinger. Der ist Bürgermeister gewesen. Da irgendwo in

Mecklenburg. Natürlich war er auch in der Partei. Das ging ja nicht anders. Man musste ja mitmachen. Der hat auch nur seine Pflicht getan, treu und redlich, wie wir das ja in unserer Generation noch gelernt haben ...«

Und schon ist er wieder auf dem Kasernenhof, bei Befehl und Gehorsam, in seinen Geschichten. Fünfzehn Jahre lang ist er Soldat gewesen, das geht nicht mehr aus ihm heraus.

Opa Rudolf redet und redet, aber Nele hört nicht mehr zu.

Alles ist übersichtlich geordnet in Großvaters Welt. Etwas richtig und gut machen heißt für ihn immer das tun, was andere sagen. Eltern, Lehrer, Offiziere, Chefs, die Obrigkeit, der Staat, ob braun oder rot. Seine Pflicht tun, treu und redlich. Wie einfach das wäre. Aber zwölf Jahre lang hat er einem Verbrecher gedient, einem der schlimmsten Verbrecher, den die Menschheit erlebt hat. Der gutmütige Opa Rudolf. Der immer nur das Beste gewollt hat.

Nele wird kalt bei diesem Gedanken. Plötzlich sieht sie sich wieder auf dem Sonnenstein stehen. Das trotzige Gesicht des Jungen vor Augen. Es kommt ihr jetzt vor, als sei darin eine Art von Verlassenheit gewesen, wie sie die selbst schon gespürt hat. Wie sie die spürt in diesem Moment.

Da ist niemand mehr, denkt Nele, der uns sagt, was richtig ist und was falsch. Wir stehen auf einem hohen Berg und sind ganz allein.

5

Am Montag schläft Nele bis in den späten Vormittag. Kurz vor elf bringt ihr die Mutter das Telefon ans Bett. Unwillig trennt sie sich von ihrem Traum, der eine Zeit lang schon halb ein Wachen gewesen ist.

Anja Kellbassa ist in der Leitung. Ihre volle, ständig drängende Stimme weckt jeden Elefanten auf. Sie muss unbedingt mitteilen, dass Eules Eltern wieder schwankend geworden sind, ob sie ihrer Tochter die Radtour erlauben sollen. Herr Langhorst hätte Zeitung gelesen, und da stände so Verschiedenes drin.

»Wenn Eule nicht fährt, fährt Mark natürlich auch nicht«, sagt Anja.

Nele setzt sich zum Schneidersitz auf und lehnt sich gegen die Wand. »Der Weltuntergang wäre das nicht«, sagt sie.

»Hauptsache, Arno fährt mit, was?« Anjas Lachen steigert sich fast bis zum Kreischen, und Nele hält den Hörer instinktiv ein Stück weiter vom Ohr weg. Als das Lachen in der Leitung nur noch ausscheppert, sagt Nele: »Nein, Anja, Hauptsache, Wölfi fährt.«

Sofort bricht das Lachen ganz ab, und mit der zu ihr gehörenden Empörung sagt Anja: »Was hast du gegen Wölfi?«
»Nichts«, sagt Nele. »Überhaupt nichts. Ich finde ihn total süß.«
Das ist Anja nun auch wieder nicht recht. »Haha«, sagt sie gequält.
Die große, kräftige Anja und der kleine, schmächtige Wölfi sind Gegensätze, wie man sie sich größer kaum denken kann. Anja nimmt alles ernst, Wölfi nichts. Anja braucht ihre Ordnung, Wölfi sein Chaos. Sie hält ihn für ein kommendes Genie. Seit er vor zwei Jahren in ihre Klasse gekommen ist, hat Anja ihre Flügel über ihn gebreitet, und inzwischen lässt er es sich ohne größeres Sträuben gefallen. Dass er ihr zuliebe die Radtour mitmacht, ist Anjas größter Erfolg. Sie reden nun über das Praktische, Zelte, Luftmatratzen, Flickzeug, Jugendherbergsausweise, und Nele sticht die Sonne ins Gesicht. Sie steigt aus dem Bett und setzt sich, wieder im Schneidersitz, in den Korbstuhl vor dem Fenster. Das drahtlose Telefonieren hat seine Vorteile.
»Ich finde, wir sollten vorher festlegen, wohin wir fahren«, sagt Anja. »Eule sagt das auch. Und ihre Eltern wären beruhigt, glaube ich.«
»Die bringen es fertig und fahren uns hinterher«, sagt Nele. Die Radtour ist ihre Idee. Einfach mal weg. Einfach mal anders leben, zwei, drei Wochen lang. Das wäre eine Pleite, wenn da auf einmal Eules Eltern mit belegten Broten am Wegrand stünden.
»Isabell sagt, du willst unbedingt nach Worpswede. Wieso sagst du das nicht, Nele?«

»Isabell weiß sowieso alles besser.«
Anja lacht. »Pass auf«, sagt sie, »wenn wir am erstbesten Atomkraftwerk vorbeikommen, macht sie 'ne Demo.« Anja redet weiter über Isabell, ihre Klassenbeste, die Informierteste, die Engagierteste, Ortrun Wagners Lieblingsschülerin.
Neles Aufmerksamkeit schweift ab. Sie sieht aus dem Fenster, und ihr ist, als habe hinter den Sträuchern am alten Bahndamm etwas in der Sonne geblinkt, als habe sich da etwas bewegt. Bauer Röllecke von nebenan kann es nicht sein. Der arbeitet tagsüber auf dem Postamt in der Stadt. Seit sie hier auf dem Dorf lebt, denkt Nele manchmal, dass sie am Ende auch so werden könnte wie die alten Frauen, die stundenlang hinter der Gardine stehen, alles beobachten und die kleinsten Dinge wichtig finden. Dinge, die in der Stadt überhaupt niemand sehen würde.
»Du hörst mir nicht zu, Nele«, sagt Anja.
»Doch, doch. Ich meine, wir fahren ans Meer. Und dann Holland vielleicht. Da waren wir uns doch alle einig. Und wenn Worpswede am Weg liegt, können wir doch mal hin. Soll eine tolle Jugendherberge sein, da.«
»Mark Speckauge will nach Hamburg rein«, sagt Anja. »Reeperbahn bestimmt.«
»Das ist doch Quatsch, mit den Rädern in die Stadt«, sagt Nele. Eins ist sicher, denkt sie, es wird ein Hauptproblem werden, alle acht zusammenzuhalten, so verschieden, wie sie sind.
»Und was sagst du zu Meike?«
»Zu Meike? Was soll ich zu Meike sagen?«

»Ob du meinst, dass sie wirklich mitfährt. Nächste Woche ist doch Termin wegen ihren Eltern.«
»Da kann sie jetzt auch nichts mehr ändern«, sagt Nele. Mit einem Ruck richtet sie sich auf. Nein, sie hat sich nicht geirrt. Hinter den Sträuchern am Bahndamm steht jemand und sieht zu ihrem Haus herüber.
»Die spinnen vielleicht«, sagt Anja entrüstet. »Setzen sechs Kinder in die Welt und lassen sich einfach scheiden.«
»Ja, ja«, sagt Nele mit wenig Aufmerksamkeit. Sie ist sich noch nicht ganz sicher, aber wenn sie nicht alles täuscht ...
»Sag bloß, du findest das richtig?«
»Oh Mann, Anja«, seufzt Nele. Ohne dass es ihr bewusst ist, klingt ihre Stimme gedämpft. »Das haben sie doch wahrscheinlich nicht von Anfang an so geplant.«
»So was muss man vorher wissen«, sagt Anja entschieden. Und dann, wieder, um Nele zu ärgern: »Arno sagt auch, dass Meike ihm Leid tut.«
»Ja, Anja, ja«, sagt Nele. Sie reckt den Hals noch ein Stück weiter, und jetzt ist sie sich ziemlich sicher. Ein eigenartiger Schreck läuft wie eine Welle vom Hals durch ihren Körper.
»Arno sagt, man muss sich jetzt besonders um Meike kümmern«, sagt Anja. »Was sagst du dazu, Nele?«
Gar nichts sagt Nele dazu. Sie springt aus dem knarrenden Korbsessel auf. »Anja, ich muss jetzt Schluss machen. Es ist was passiert. Ich melde mich später.«
Ohne eine Antwort abzuwarten, wirft sie den immer noch auf Empfang geschalteten Hörer auf ihr Bett, und Anjas »Sei doch bloß nicht so empfindlich, Nele!« landet schon in der Kuhle im Kopfkissen.

Nele rennt ins Bad, wäscht sich, kämmt sich, zieht sich an und poltert die Treppe hinunter. Unten im Flur springt ihr Fritze, der Rauhaardackel, entgegen. Nele bückt sich und streicht ihm über das Fell.
»Komm, Fritze, wir gehen raus«, sagt Nele und angelt die Hundeleine von der Garderobe. Sie ruft durch die offene Küchentür: »Ich geh mal mit Fritze!«
Von irgendwo aus dem Haus, wahrscheinlich aus dem Keller, antwortet ihre Mutter: »Tee ist im Mikro!«
Nele nimmt sich nicht die Zeit für Erklärungen, zieht die ewig klemmende Haustür auf, und Fritze stürzt sich die Steintreppe hinunter, halb toll vor Freude über den unerwarteten Sondergang.
Aber hinter den Sträuchern am alten Bahndamm ist niemand. Seh ich schon Gespenster?, denkt Nele. Wieso eigentlich? Er kann mir doch egal sein. Will doch sowieso nichts wissen von uns. Zum Schluss hat er ihr nicht mal mehr richtig zugehört.
Trotzdem ist sie jetzt enttäuscht. Irgendetwas war da doch. Irgendetwas, das nicht zu erklären geht. Wieso wohnt er bei seinen Großeltern? Wie kommt man von Mecklenburg hierher? Gestern Abend hat sie noch lange wach gelegen und darüber nachgedacht. Immer neue, immer verwirrendere Möglichkeiten hat sie sich vorgestellt. Als würde sie das irgendetwas angehen. Sie hätte schwören können, er stand hier hinter den Sträuchern.
Fritze schnuppert im Gras herum und hebt das Bein. Dann kämpft er sich zum Feldweg durch und läuft, die Nase dicht über dem Boden, Richtung Wald.

Nele folgt ihm. Vielleicht ist Fritze ja klüger. Was sie nicht sieht, kann er riechen. Und irgendwas war hier, sie ist doch nicht blind.
Sein Fahrrad steht an einer Buche am Waldrand, er sitzt auf der Bank, der einzigen Bank, die von der alten Waldschule noch übrig geblieben ist.
Als er sie kommen sieht, steht er auf und fährt sich mit der Hand durch die Haare.
Langsam, als wäre es gefährlich, gehen sie aufeinander zu. Fritze, der nur nach Geruch geht, stürzt sich auf den Jungen, springt ihm am Hosenbein hoch und bellt. Der Junge scheint es gar nicht zu merken.
»Tag«, sagt er und bleibt stehen.
»Tag«, sagt Nele und versucht, ihre wild kreisenden Gedanken zu ordnen. Er ist tatsächlich gekommen, denkt sie. Während ich faul im Bett gelegen habe, ist er über dreißig Kilometer mit dem Rad gefahren. Meinetwegen. Das hat noch keiner gemacht.
»Ich wollte nur mal sehen, wo du wohnst«, sagt er.
»Finde ich gut«, sagt Nele. »Fritze, benimm dich. Keine Angst, er meint es nicht böse. Er freut sich nur so.«
Martin bückt sich und streicht dem kleinen Hund über das Fell. Fritze beruhigt sich und schnuppert nun zwischen den morschen Pfählen, die einmal Tische und Bänke getragen haben.
»Das war mal eine Schule hier«, sagt Nele. »Eine Waldschule. Mein Vater war hier noch als Schüler. Und Opa Rudolf. Manchmal haben sie hier gesessen, haben Vogelstimmen gelernt und so.«

»Komisch«, sagt Martin. »An jeder Ecke habt ihr's mit Schule.«
Nele lacht. »Kein Wunder, dass du dich nicht reintraust zu uns.«
Er wird rot, und Nele fürchtet schon, dass er sich ertappt fühlt, aber im letzten Moment entscheidet er sich doch für ein Lächeln.
»Ich wollte gerade ein Stückchen mit Fritze«, sagt Nele. »Kommst du mit?«
Er nickt, und sie gehen nebeneinander den Pfad im Wald hinauf. Nele kann es immer noch kaum glauben. »Hätte ich nicht gedacht, dass du wirklich kommst«, sagt sie. »Ich dachte, du hast es überhaupt nicht gehört. So wie du ausgesehen hast.«
»Das tut mir Leid«, sagt Martin. »Das war nicht gegen dich. Aber ich kann es nicht mehr hören, dieses Gequatsche. Ossi und Wessi. Als wenn wir alle Verbrecher gewesen wären. Und ihr alle Engel.«
»So haben Topsi und Henning das bestimmt nicht gemeint«, sagt Nele.
»Aber es hört sich so an.«
Nele bleibt stehen und ruft nach Fritze, der es offenbar nicht glauben kann, dass ihm um diese Zeit ein längerer Spaziergang geboten wird. Im Weitergehen sagt Nele: »Weißt du, was ich gern wissen möchte? Warum du so empfindlich bist. Du hast doch gar nicht viel zu tun gehabt mit DDR und so. Vielleicht warst du bei den Jungen Pionieren, na ja. Aber das ist doch inzwischen schon Ewigkeiten her.«

Irgendwie kommt er ihr heute kleiner vor als gestern. Vielleicht einen halben Kopf größer als sie, mehr nicht.
»Für euch hat sich überhaupt nichts verändert«, sagt Martin. »Für uns alles.«
»Habt ihr das nicht so gewollt?«, fragt Nele. »Die Mehrheit jedenfalls?«
Seine Augen flackern unsicher. »Meinst du, wir sind freiwillig hier?«
Das Wichtigste hält er zurück, denkt Nele. Als sei er immer noch unsicher, ob er ihr trauen kann. »Erzähl«, sagt sie.
Er schüttelt den Kopf.
»Ich möchte es gern wissen.«
»Wozu?«, fragt Martin. Aber am Ton seiner Stimme hört Nele, dass er weiß, wozu. Die Sonne blinkt durch die Äste. Licht und Schatten tanzen über Sträucher und Laub. Fritze schnuppert lange an einem ausgetrockneten Baumstumpf.
»Hör zu«, sagt Martin mit plötzlicher Entschlossenheit. »Stell dir vor, dein Vater merkt auf einmal, er kann in diesem Land nicht länger arbeiten und leben. Stell dir vor, du bist ungefähr zehn, elf Jahre alt, und deine Eltern, die sich immer gut verstanden haben, fangen an, sich zu streiten, monatelang und immer schlimmer. Und auf einmal ist dein Vater verschwunden, deine Mutter wird krank, eure Familie ist kaputt, und du kommst mit deinem Bruder zu deinen Großeltern irgendwo weit weg, wo du noch nie warst, auf ein abgelegenes Dorf, sagen wir mal in Mecklenburg. Und da sitzt du dann, kennst keinen, und alles ist von heute auf morgen anders. Eins und eins ist nicht mehr zwei, schwarz ist nicht mehr schwarz, und weiß ist nicht mehr weiß, und

alle wissen es, nur du bist der Blöde, weil du deiner Mutter geglaubt hast und nicht deinem Vater, der einfach abgehauen ist.«
Er schweigt, sieht in die Bäume hinauf und blinzelt in die Sonne.
»Und jetzt?«, fragt Nele.
»Was jetzt?«
»Wo ist dein Vater jetzt? Und deine Mutter?«
»Düsseldorf«, sagt Martin. »Mein Vater ist in Düsseldorf. Schon lange. Er ist Chemiker. Vielleicht ganz gut in seinem Beruf. Sie haben ihm da einen Haufen Geld geboten. Er wohnt jetzt bei einer anderen Frau.«
»Und deine Mutter?«
»Neubrandenburg«, sagt Martin. »Bei ihrer Schwester.«
»Und du wohnst jetzt bei deinen Großeltern?«
Martin nickt. »Sie sind schon in Ordnung«, sagt er. »Aber eine Menge verstehen sie nicht mehr.«
Nur kurz geht Nele durch den Kopf, wie es wäre, allein mit Opa Rudolf oder mit den Großeltern in Hannover zu leben.
»Das ist hart«, sagt sie.
»Man gewöhnt sich daran«, sagt Martin. Und nach einer Weile: »Das Schlimmste ist, dass man keinem mehr glauben kann.«
Nele will ihm widersprechen, aber dann kommt ihr doch zu klein vor, was sie dagegen sagen könnte.
Sie verlassen den Wald, gehen weiter den Hohlweg zwischen den Feldern hinauf, die Sonne drückt, Kohlweißlinge flattern durch die Hitze, Grashüpfer springen vor ihren Füßen auf. Dann stehen sie auf dem Hügelkamm vor dem

Sendeturm, sehen auf das Dorf hinunter und über die Landschaft. Auch Neles Dorf liegt zwischen Wäldern und Hügeln.

Fritze springt an den Maschendraht, mit dem der Sendemast und das kleine Häuschen davor umzäunt sind. Überall, wo er nicht rein darf, will Fritze rein, wenn er drin ist, kann er nicht schnell genug wieder raus.

»Verstärker«, erklärt Nele Martin. »ZDF. Haben sie vor ungefähr zwanzig Jahren gebaut. Wegen euch. Damit sie unser Fernsehprogramm möglichst weit in die DDR senden können.«

»Erfolgreich«, sagt Martin. Aber dann tut er, als würde ihn das nicht sehr interessieren, und blickt über die Landschaft Richtung Osten.

»Bis zu euch kann man nicht sehen«, sagt Nele. »Dazu liegen wir hier zu tief. Hinter dem langen Wald, du weißt ja.«

Fritze läuft ihnen voraus, den Feldweg auf dem Kamm des Hügels entlang. Rechts fällt die Weide von Bauer Röllecke zum Dorf hin ab. Drei verwachsene Wildkirschenbäume stehen dicht hinter dem Zaun und strecken ihre Äste bis auf den Weg.

»Du kannst dich bedienen«, sagt Nele. »Die pflückt sowieso keiner ab.«

Eine Weile stehen sie unter den Bäumen, essen erbsengroße Wildkirschen und spucken die Kerne den Hang hinunter. Ohne dass sie es ausgemacht haben, spucken sie um die Wette. Nele gewinnt. Rekord: mindestens zwei Meter hinter dem Zaun.

»Schön ist es hier«, sagt Martin auf einmal.

Nele widerspricht ihm nicht. Ob es hier schön ist, darüber hat sie sich noch nie viel Gedanken gemacht. Es ist, wie es ist. »Ein Dorf eben wie viele«, sagt Nele.
»Schön aber«, sagt Martin. Und wie er sie ansieht, spürt Nele ein seltsames Flattern warm vom Bauch bis in den Hals. Es könnte sein, dass seine gute Meinung über ihr Dorf irgendwie mit ihr zu tun hat.
»Du kennst es doch gar nicht«, sagt Nele. »Wildester Westen, sage ich dir. Kapitalisten. Großbauern. Sklavenhalter ...«
Er lächelt, und langsam gehen sie weiter, an der Brandstelle vom Osterfeuer vorbei, da sagt er: »Weißt du, bisher wollte ich nie etwas mit euch zu tun haben. Ihr seid alle so ... so sicher. So von oben herab ...«
»Und jetzt bist du einfach gesprungen?«, sagt Nele.
»Wie ...?«
»Ich meine«, sagt Nele, »vielleicht ist es nur diese kleine Sekunde, wo man unheimlich Mut braucht, wo man abspringen muss wie die Drachenflieger.«
Er sieht sie an, unsicher lächelnd, als wäre sie ihm viel zu schnell viel zu nahe gekommen.
»Vielleicht«, sagt er achselzuckend.
Nele sagt nichts weiter dazu, redet vom Osterfeuer, von den Jugendlichen im Dorf, die alle bei der Feuerwehr sind, von ihrem Vater, der hier geboren ist, und schließlich von Opa Rudolf.
»Mein Opa schwärmt mächtig von deinem«, sagt Nele. »Die ganze Fahrt über hat er erzählt, wie toll es war, mit ihm zu reden.«

»Hm«, sagt Martin. »Die alten Krieger. Hundertmal dasselbe.«
»Ja«, stimmt Nele ihm zu und erzählt weiter von ihrem Opa Rudolf und seinen Pflicht-und-Gehorsam-Geschichten. »Aber komisch ist schon«, sagt sie abschließend, »dass sich unsere Großväter sofort so gut verstehen.«
»Sie haben alles hinter sich«, sagt Martin. »Da können sie gut reden. Der Krieg und das alles, das ist nun nicht mehr zu ändern.«
Schweigend gehen sie nebeneinanderher, und Nele ist sicher, dass sie jetzt beide dasselbe denken. Es ist gut, so zu gehen, es ist gut, so zu schweigen.
Erst als sie den asphaltierten Weg zum Dorf hinunter erreichen, sagt Nele: »Komm, ich zeig dir, wo wir wohnen.« Fritze ist schon voraus.

Als um halb fünf Henning von der Arbeit kommt, verabschiedet sich Martin. Nele sieht ihn auf dem Radweg am Waldrand entlang immer kleiner werden. Sie hat das Gefühl, als müsse sie ihn noch mal zurückrufen, aber dann hebt sie nur die Hand, und dann ist er auf einmal hinter der Kurve verschwunden.
»Der geht aber ran«, sagt Henning beim Abendessen.
»Ein bedächtiger Mecklenburger«, sagt ihr Vater.
»Mal ein ernsthafter Junge«, sagt ihre Mutter.
Opa Rudolf war das Wichtigste, dass Martin seine Großeltern von ihm grüßt. »Vielleicht können wir die ja mal einladen«, sagt er und augenzwinkernd zu Nele: »Wenn ihr nun befreundet seid.«

Es herrscht Aufbruchstimmung. Ihre Eltern waren den Tag über mit Reisevorbereitungen beschäftigt. In Gedanken sind sie schon halb in Schottland. Morgen fahren sie los.
Wie erwartet hat Martin nicht viel geredet. Aber Nele hat ihm angesehen, dass er alles begierig aufgesogen hat. Wahrscheinlich, denkt sie, hat er alles, was er hier gesehen hat, verglichen. Nicht mit dem Leben in dem verschachtelten Haus am Sonnenberg. Das scheint ihm nur ein Provisorium. Nicht richtig gültig. Nein, er hat verglichen: meine Mutter, deine Mutter, die gewesenen Lehrerinnen, mein Vater, dein Vater, euer Haus, unser Haus in Mecklenburg, euer Leben, unser Leben, als wir noch eine Familie waren. Er hat ihr nicht gesagt, zu welchem Ergebnis er gekommen ist.
Im alten Schulhaus hat sie ihm die Bibliothek ihrer Mutter gezeigt. Er liest immer noch am liebsten die Russen, hat er gesagt, Aitmatow und die Klassiker, Dostojewski, Tolstoi. Sie hat ihm von Anja und Wölfi erzählt, von Mark und Eule, von Isabell, Meike und Arno. Von ihrer Radtour. Es hat ihn interessiert, aber je länger sie darüber gesprochen hat, desto mehr hat er sich wieder ins Schweigen verkrochen.
»Anja hat angerufen«, sagt ihre Mutter. »Du sollst unbedingt noch heute zurückrufen. Sie ist nur bis sieben zu Hause.«
»Ach ja«, sagt Nele und steht vom Tisch auf.
»Hör mal«, ruft ihr Vater hinter ihr her. »Nächstes Mal wirfst du den Hörer nicht wieder einfach auf dein Bett. Das Ding ist nicht nur für dich da, Mademoiselle.«

»Tut mir Leid«, sagt Nele.
Auf dem Flur nimmt sie den Hörer und geht die knarrende Treppe hinauf. Seltsam, ihr Zimmer kommt ihr auf einmal verändert vor. Dabei ist alles wie vorher. Nicht mal das Bett ist gemacht.
Martin wollte nicht lange in ihrem Zimmer bleiben. Als hätte er auf einmal Angst vor ihr gehabt. Dabei ist er über dreißig Kilometer mit dem Rad zu ihr gefahren. Und wieder zurück.
Eine Weile steht sie am Fenster und sieht zum alten Bahndamm hinüber. Da hinter den Sträuchern hat er gestanden und zum Haus hinübergesehen. Wenn Fritze ihn nicht aufgespürt hätte, er hätte es fertig gebracht und wäre wieder gefahren.
Nele setzt sich auf ihr Bett. Und auf einmal weiß sie, warum sie wollte, dass er noch einmal umkehrt.
Anja kann warten, entscheidet Nele. Dann wählt sie die Nummer der Auskunft.

6

Er legt den Hörer auf, und eine Weile flimmert es vor seinen Augen. Alles verschwimmt, es ist, als ob seine Augen statt nach außen plötzlich nach innen sehen, und da ist nur dieses seltsame Gefühl, das ihn seit gestern Nachmittag immer wieder überfällt und gegen das er hilflos ist. Als er ihre Stimme in der Leitung erkannt hat, hat es ihn wie eine heiße Welle durchflutet.
»Du, hör mal, Martin. Hast du nicht Lust mitzukommen? Mit dem Rad Richtung Norden? Zwei, drei Wochen vielleicht?«
Wie sie sich das vorstellt. Als wenn es nur danach ginge, ob er Lust zu etwas hat. Selbst wenn er wollte, dann müsste er doch ...
Langsam geht er über den Flur. Die Dielen unter dem abgetretenen Läufer knarren. In der offenen Küchentür bleibt er stehen. Die Hände in den Taschen, lehnt Martin gegen den Rahmen.
Aus kleinen grauen Tüten füllt Oma Käthe Gewürze in die Fläschchen mit den goldenen Aufklebern nach. Das Ge-

würzregal ist Martins erstes Weihnachtsgeschenk gewesen, seit sie hier gemeinsam wohnen. Auf Burg Sonnenstein, wie Opa Georg sagt. Oma Käthe hält das Gewürzregal in Ehren. Seit es im Laden unten im Dorf die ausgefallensten Gewürze zu kaufen gibt, ist sie darauf bedacht, dass immer von allem reichlich da ist. Bis zum Hals gefüllt stehen die Fläschchen in Reih und Glied im Regal, Oma Käthes unverkennbar steile Schrift vor dem Bauch: Beifuß, Estragon, Basilikum, Thymian, Cayenne-Pfeffer ...

»Na?«, sagt Oma Käthe und sieht Martin erwartungsvoll an. Er weicht ihrem Blick aus, kann aber ein flüchtiges Lächeln nicht unterdrücken. Wo er heute mit dem Fahrrad war, hat er ihr nicht erzählt, aber Oma Käthe hat ihm den Telefonhörer in die Hand gegeben und dabei ausgesehen wie gestern Abend, kurz nachdem das Mädchen und ihr Anhang verschwunden waren. Da hatte sie ihn zur Seite gezogen, die Hand auf die Schulter gelegt, als hätte er eine Krankheit und brauche Ruhe und Pflege. Er hatte sich von ihr losgemacht, aber sie hatte verschwörerisch geflüstert: »Ich habe doch Augen im Kopf, Junge!«

Oma Käthe und Opa Georg sind die Eltern von seinem Vater. Sie sind freundlich. Sie geben sich Mühe. Er muss froh sein, dass er sie hat. Aber irgendwie wird er nie das Gefühl los, dass er, je mehr er sich ihnen zuwendet, seine Mutter verrät.

»Ist Petra schon da?«, fragt Martin.

»Nein«, antwortet Oma Käthe. »Sie ist bei Susanne. Die fährt morgen weg mit ihrer Familie. Zwei Wochen in den Schwarzwald.«

Er nickt seiner Großmutter zu, das genügt, um ihr zu sagen, alles in Ordnung, mach dir bloß keine Gedanken um mich. Dann dreht er sich um, geht die Treppe hinunter und aus dem Haus.
Jetzt um halb acht ist es noch warm, fast wie am Mittag. Martin schlendert dem Wald zu.
Warum gibt es für die wichtigsten Dinge keine vernünftigen Erklärungen? Woher kommt dieses Gefühl, wenn er das Mädchen nur ansieht, wenn er nur ihre Stimme hört?
»Hast du Lust mitzukommen? Mit dem Rad Richtung Norden? Zwei, drei Wochen vielleicht?«
Er hat nicht Nein und nicht Ja gesagt.
»Überleg nicht zu lange. Donnerstag geht's los. Sieben Uhr morgens vor unserem Haus.«
Wie sie sich das denkt. Sie kennen sich doch so gut wie gar nicht. Zwei Tage gerade. Und eine verunglückte halbe Stunde vor fünf Jahren. Die noch mitfahren, sind alle aus dieser dämlichen Klasse.
»Ruf mich an, wenn du dich entschieden hast.« Als wenn das so einfach wäre.
Aber so sind sie eben, die Wessis. Und so ist auch sie. Drachenflieger. Hoch über allem. Das Leben ein Spiel. Mit dem, was sie taten, waren sie immer drei Schritte vor ihrem Denken. Man kam einfach nicht nach. Es sei denn, man hörte irgendwann auf mit dem lächerlichen Versuch, nachkommen zu wollen. So wie die meisten. So wie die meisten, denen es doch gut ging. Blendend sogar. Man musste nur aufhören, verstehen zu wollen.
»All diese oberflächlichen Menschen«, hatte seine Mutter

gesagt. Ihre Augen hatten müde ausgesehen. Das Fünkchen Leben, das doch daraus aufblitzte, hatte ihm vor allem das eine gesagt: Zahl du diesen Preis nicht.
Der Vater hatte den Preis bezahlt. In seinen Briefen aus Düsseldorf stand immer unverschlüsselter die Botschaft: Anpassen oder untergehen. Heult mit den Wölfen, Kinder. Das Leben ist zu kurz, um es auch noch verstehen zu können.
Endlich steht Martin unter seinem Baum, einer dicken Buche mit ausladenden Ästen. Mit drei, vier geübten Griffen schwingt er sich auf seine Plattform und streckt sich auf dem Bauch aus. Durch den Blättervorhang sieht er über die Baumkronen am abfallenden Hang ins Tal hinunter. Weit hinten am Horizont zeigt sich das erste schmale Abendrot. Als klar war, dass er und seine Schwester für längere Zeit hier bleiben würden, hat er sich die Plattform gebaut. Elf war er damals, ein Kind noch, aber bis heute kommt er im Sommer fast täglich hierher. Liest, schreibt in seinem Tagebuch, sieht ins Tal hinunter. Außer seiner Schwester weiß niemand von seinem Einsiedlerplatz.
Ohne hinzusehen, streift er sich mit den Füßen die Schuhe ab. Mit dem rechten Fuß tastet er über die narbige Rinde, bis er die Wölbung unter dem Ast gefunden hat. Er mag das Gefühl, den Baum kühl vom Fuß her zu spüren.
Lange hat er sich dagegen gewehrt, irgendetwas hier schön zu finden. Alles hatten sie ihm weggenommen. Sie hatten ihn von zu Hause vertrieben, und nichts würde wieder so sein, wie es einmal doch gut war. Gut und wie für alle Zeiten. Seine Familie, seine Freunde, sein Dorf, seine Wälder,

seine Seen. Zu Hause ist, wo man sich auskennt, das hatte selbst sein Vater gesagt. Aber kaum war die Grenze geöffnet, war er verschwunden. Als hätte ihm das alles überhaupt nichts bedeutet.

Eine Weile liegt er so, ohne zu denken, das Kinn auf die Hände gestützt, und starrt über die Bäume hinweg in die Ferne. Solche Augenblicke sind es gewesen, in denen ihm, widerwillig erst, klar geworden ist, dass er die Wälder hier mag. In die Wälder kann er verschwinden wie in seine Bücher. Manchmal geht er stundenlang, ohne einen einzigen Menschen zu sehen. Einmal ist ihm dabei der Gedanke gekommen, dass er in einer Zeit lebt, in der die Menschen voreinander verschwinden. Sein Vater, seine Mutter, Petra, er selbst, jeder war nur noch für sich. Was sie gemeinsam gewesen waren, war weg. Ein ganzes Land war einfach verschwunden.

Nur einmal in den fünf Jahren war er wieder in seinem Dorf gewesen. Die Wochenendbesuche in Neubrandenburg standen unter Zeitdruck. In der gemeinsam verbrachten Ferienzeit war die Mutter der Erinnerung ausgewichen, und sie waren auf Hiddensee oder am Saaler Bodden gewesen. Ihr Haus hatte die Mutter vermietet.

»Hast du Lust mitzukommen? Mit dem Rad Richtung Norden?«

Plötzlich richtet er sich auf. Norden, das ist doch auch Mecklenburg. Und auf der Halbinsel zwischen Breitem und Schmalem Luzin und dem Kleinen Haus-See ist doch ein Zeltplatz. Über den Erddamm, keinen Kilometer weiter, liegt sein Dorf ...

Nein. Quatsch. Auf gar keinen Fall. Einen Moment lang stellt er sich das vor: Inmitten einer lauten, johlenden Meute von Westlern fällt er in sein Dorf ein. Sie können sich nicht einkriegen vor Spott darüber, wie primitiv hier noch alles ist. Nichts auf westlichem Standard. Und am Straßenrand stehen Henner und Gesche, der kleine Werner, Wolle und Rüdiger Brinkmann, vielleicht sogar die blonde Rieke mit ihrem einäugigen Dackel, starren sie mit offenem Mund an, und endlich streckt einer, wahrscheinlich sogar Henner, den Arm aus, zeigt auf ihn und sagt: »Martin Klinger gehört nicht mehr hierher!«
Nein, nie und auf gar keinen Fall!
Aber allein, dass er daran denkt, macht ihn unruhig. Wie kann ihm so ein Blödsinn überhaupt einfallen.
Ärgerlich auf sich selber, schwingt er sich von seiner Plattform und geht den Weg zum Haus zurück. Obwohl er es nicht will, muss er immer wieder daran denken. Sie hat ihm einen Floh ins Ohr gesetzt, und er kriegt ihn nicht wieder raus. »Hast du Lust mitzukommen?«
Dass es immer noch so warm ist. Um diese Uhrzeit. Im Wald war es angenehmer.
Solche Sommerabende auf dem See. Die Hand über den Bootsrand im Wasser schleifen lassen. Die geheimnisvollen Geräusche aus dem Schilf und aus den nahen Wäldern. Krickenten, Graugänse und Reiher. Und Schwäne, stolze weiße Fregatten vor dem dunkel verschwimmenden Ufer.

An solchen Sommerabenden war er mit Henner manchmal bis weit in die Dunkelheit draußen auf den Seen gewesen. Der Mond stand über dem Breiten Luzin und hatte goldene

Schluchten ins Wasser gemalt, aber zu Hause wussten sie Bescheid, keiner hatte sich unnötige Sorgen um ihn gemacht.
Auf dem Fahrrad kommt ihm seine Schwester entgegen. Schon von weitem winkt sie ihm zu. Als sie neben ihm ist, springt sie vom Rad, schüttelt das blonde Haar und keucht. Nie würde ihr einfallen, den Berg hoch zu schieben.
»Sieht man dich auch mal wieder?«, sagt Martin.
»Pah«, pustet Petra. »Der Herr war den ganzen Tag nicht zu Hause.«
Er hat auch ihr nicht gesagt, wohin er gefahren ist. »Du«, sagt er und bemüht sich um einen versöhnlichen Ton, »ich muss unbedingt mit dir reden.«
»Was passiert?«, fragt Petra.
Diese Frage, dieser Ton, gilt ihrer Mutter. Kein gutes Gefühl ist damit verbunden. Immer ein Stück Angst.
»Nein, nein«, sagt Martin. »Was anderes.«
»Schieß los«, sagt seine Schwester.
Martin zögert. »Auf deinem Zimmer«, sagt er dann. »Es geht nicht so zwischen Tür und Angel.«
»Ich hab einen Mordshunger«, sagt Petra. »Habt ihr schon gegessen?«
Martin nickt.
»Dann mach ich mir Stullen. Und du kochst uns Tee, ja?«
Als sie dann im Schuppen ihr Fahrrad neben seins stellt und ihm ihren Rucksack zuwirft, scheint ihm auf einmal alles leicht zu sein, die unüberwindlichen Hindernisse von vor ein paar Minuten nur noch Berge, die darauf warten, dass man sie, ohne abzusteigen, bezwingt.

Oma Käthe und Opa Georg sitzen im Wohnzimmer bei der Tagesschau. Petra erzählt über den Nachrichtensprecher hinweg von ihrer Freundin Susanne, von Tomatenpreisen und dass der Sohn vom stellvertretenden Bürgermeister seinen nagelneuen BMW gegen einen Baum gesetzt hat.
»Wir gehen hoch«, sagt sie abschließend.
»Macht das, Kinder«, sagt Oma Käthe, und Opa Georg ist anzusehen, dass er froh ist, nur noch einer Stimme zuhören zu müssen.
In ihrem Zimmer stößt Petra das Fenster auf, räumt den kniehohen Tisch von tausenderlei Kram frei und stellt den Teller mit den belegten Broten darauf. Martin schiebt die beiden Teetassen an ihre Stammplätze und gießt ein. In letzter Zeit machen sie das oft, hocken bis in die Nacht zusammen, trinken Tee, reden, hören Musik oder lesen. »Wie ein altes Ehepaar«, spottet Petra manchmal. Aber gern hat sie ihre Klönstunden doch. Irgendwie ist es ein bisschen wie früher. Nur von den Wänden in Petras verwinkeltem Zimmer sehen ein paar Leute zu, die früher nicht dabei gewesen sind: Joe Cocker, Peter Maffay und aus verschiedenen Ecken immer wieder Chris de Burgh.
»Na klar«, sagt Petra, ohne zu zögern, nachdem Martin endlich alles erzählt hat. »Na klar fahren wir da mit.«
Martin schüttelt den Kopf. Er sieht seine Schwester an und seufzt. Petra ist eine Vatertochter. Er ein Muttersohn. Hals über Kopf ist sie im Westen gelandet. Kein Wort hat er bisher davon gesagt, dass sie vielleicht auch mitfahren könnte. Nur gedacht hat er sich das. Aber sie hat ihn längst durchschaut. Während er umständlich erklärt hat, was das für

welche sind, die da mitfahren, alle aus dieser Klasse von vor fünf Jahren, hat sie begriffen, er möchte eigentlich, aber er braucht jemanden für alle Fälle.
»Und Mutti? Was denkst du, was sie dazu sagt?«
Seit vierzehn Tagen ist ihre Mutter wieder in der Klinik in Ueckermünde. In der letzten Ferienwoche kommt sie voraussichtlich zurück. Erst dann könnten sie nach Neubrandenburg. Aber ungewiss ist auch das.
»Mutti ist krank«, sagt Petra. Und als er lange schweigt und vor sich hinstarrt, sagt sie: »Wir sind doch keine Kinder mehr.«
»Du nimmst das alles so leicht«, sagt Martin endlich. Aber er sagt es leise, und eigentlich hat er sich längst fortspülen lassen von der Bedenkenlosigkeit seiner um ein Jahr jüngeren Schwester, von ihrem unausrottbaren Optimismus. Mehr als einmal hat sie ihn damit aufgebaut, wenn er ganz unten war.
»Und Oma und Opa?«, fragt er, aber innerlich hat er sich jetzt entschieden.
»Die sind froh, wenn sie uns mal los sind 'ne Zeit lang«, sagt Petra. »Und das Feriengeld von Papa reicht dicke.«
Eine Weile schweigen sie, und jeder hängt seinen Gedanken nach. Petra lehnt sich im Sessel zurück, verschränkt die Arme hinter dem Kopf und sieht ihren Bruder an.
»Mensch, Martin«, sagt sie schließlich. »Wie sieht sie denn aus?«
Er lächelt flüchtig, statt einer Antwort greift er zur Teetasse, und sie muss sich mit seinem vieldeutigen Blick und seinen roten Ohren begnügen.

Dann kramt sie aus dem alten Schreibtisch mit den klemmenden Türen eine Landkarte hervor und breitet sie auf dem Fußboden aus. Norddeutschland und benachbarte Länder. Mit dem angebissenen Käsebrot in der Hand fährt sie die vermeintlich geplante Route ab. »Weser hoch, Bremen, Oldenburg, Groningen, Zwolle, Apeldoorn, Amersfoort, Utrecht ... Holland«, sagt Petra. »Da wollte ich schon lange mal hin.«

So unauffällig wie möglich blinzelt Martin in die andere Richtung. Stettin, sieht er. Stettin ist die nächste größere Stadt in ihrer Gegend. Du Schreck, denkt er. Stettin ist fast doppelt so weit wie Holland.

»Acht Leute, sagst du, fahren da mit?« Petra setzt sich auf die Karte, auf Mecklenburg-Vorpommern, und sieht zu ihm hoch.

Martin nickt.

»Und du meinst, es ist kein Problem, wenn ich auch einfach mitkomme?«

»Glaube ich nicht«, sagt Martin. »So locker, wie die immer tun.«

»Wir haben ja unser eigenes Zelt«, sagt Petra. »Zur Not können wir rechtzeitig die Mücke machen.«

7

Wie erwartet, ist Anja die Erste. Schon kurz vor halb sieben lehnt sie ihr schwer beladenes Fahrrad gegen die Steintreppe zum alten Schulhaus, dann klingelt sie Sturm.

Nele sitzt gerade mit ihrem Opa Rudolf in der Küche beim Frühstück. Es klingelt schrill und anhaltend in ihren ersten Schluck Tee. Unwillig zieht sie die Stirn kraus.

»Na, geht es los?«, fragt Opa Rudolf.

Fritze stürzt unter dem Tisch hervor und rennt zur Haustür.

»Mensch, Anja«, sagt Nele, als sie die Tür aufzieht. »Mitten in der Nacht!«

»Hi.« Anja strahlt. Dann bückt sie sich, streichelt Fritze, der ihre Beine umtanzt, aber als sie ihn hochnehmen will, flüchtet er in die Küche.

»Spitzenwetter!«, sagt Anja, zieht die Tür hinter sich zu und knufft Nele in die Seite. »Du. Ich glaube, es wird toll.«

»Klar. Wenn du das sagst. Komm erst mal rein. Wir sind noch beim Frühstück.«

Anja hält Nele am Arm fest. Neugierig sieht sie zur geöff-

neten Küchentür, und mit gedämpfter Stimme fragt sie: »Wir? Sind sie schon da?«
»Wer?«, fragt Nele.
»Deine Ossis ...?«
Nele lacht. »Ja sicher«, sagt sie im selben flüsternden Ton. »Sie haben in meinem Bett geschlafen, Anja.«
Mit zusammengekniffenen Augen und offenem Mund sieht Anja sie an, und erst als sie am Küchentisch nur Opa Rudolf entdeckt, ist ihr Zweifel endgültig beseitigt.
Natürlich trinkt Anja einen Tee mit, natürlich isst sie auch gern ein, zwei Brote, und zu einem gekochten Ei sagt sie auch nicht Nein.
»Esst nur, Kinder, esst«, sagt Opa Rudolf. »Wer weiß, wann ihr wieder was kriegt.«
Nele fürchtet, es folgt wieder eine Geschichte aus der Kriegszeit über Entbehrung und Hunger, aber Opa Rudolf schiebt Anja das Pflaumenmus zu und lächelt still vor sich hin.
»Und das ist wirklich der von vor fünf Jahren?«, sagt Anja kauend. »Der Blonde? Der nicht mitmachen wollte? Ich glaube, ich kann mich sogar noch an den erinnern.«
»Hm«, sagt Nele, nickt und kaut. Am Telefon hat sie ihr das doch schon zehnmal erklärt.
»Ortrun hat sich ja mächtig aufgeregt damals, weißt du noch?«
»Hm, hm.«
»Ich dachte ja echt, sie scheuert Kevin eine.«

»Dachte ich auch.«
»Und der andere?«, fragt Anja. »Was ist das für einer?«
»Welcher andere?«, fragt Nele.

»Na, den er mitbringt.«
»Weiß nicht«, sagt Nele. »Ein Freund, nehme ich an.«
»Das weißt du gar nicht!?« Anja ist empört. »Ich dachte, du ...«
»Du denkst einfach zu viel«, sagt Nele. Aber wohl ist ihr nicht dabei. »Ich bring noch jemanden mit«, hatte Martin am Telefon gesagt. Und vor Aufregung und Freude darüber, dass er tatsächlich Ja gesagt hatte, war sie nicht auf die Idee gekommen, nach dem Jemand zu fragen. Noch mal deswegen anrufen hätte wie Misstrauen ausgesehen. Bei seiner Empfindlichkeit wäre er dann vielleicht wieder abgesprungen.
»Na, da bin ich aber gespannt«, sagt Anja.
Nele sagt nichts weiter. Aber der Gedanke an den unbekannten Freund ist wie ein kleiner dunkler Fleck in der hellen Aufbruchstimmung.
Zehn Minuten vor sieben ist Lärm vor der Haustür, Stimmengewirr und Fahrradklingeln. Nele will noch schnell den Tisch abräumen, aber Opa Rudolf sagt: »Geh nur, Mädchen, geh. Ich mach das schon. Ich hab ja Zeit. Zwei Wochen lang.«
Nele und Anja gehen hinaus.
Tatsächlich sind alle da. Wölfi, Eule und Mark sitzen auf der Bank an der Hauswand. Isabell, Meike und Arno stehen neben den Rädern, die aussehen wie überladene Packesel. Lautstark begrüßen sie Anja und Nele. Vor Schreck vergisst Fritze zu bellen und verkriecht sich hinter Neles Beinen.
»Wahnsinn!«, sagt Anja und strahlt. »Jetzt sind wir acht.

Ein Drittel von der ganzen Klasse. Hätte ich nie gedacht, dass wir das zusammenkriegen.«
»10 b ist astrein«, sagt Arno, »'ne besondere Klasse.«
»'ne besonders anstrengende Klasse«, sagt Wölfi, streckt Arme und Beine von sich und tut, als habe ihn die Fahrt von der Stadt heraus schon total erschöpft. »Können wir nicht bei euch im Garten zelten, Nele?«
Mark, wie gewöhnlich den Arm auf Eules Schulter, beugt sich vor. »Komm, komm, Wölfi«, sagt er. »Keine Müdigkeit vortäuschen. Anja baut dich schon wieder auf.«
Nele holt ihr Fahrrad aus der Garage, und dann verabschiedet sie sich von Opa Rudolf und von Fritze, die in der Haustür stehen. »Am besten, ihr geht rein«, sagt Nele. »Wenn Fritze sieht, dass ich wegfahre, läuft er noch hinterher.«
»Bis nach Worpswede«, sagt jemand hinter ihr. Als Nele sich umdreht, sieht sie in Isabells hintergründig lächelndes Gesicht, und da ist ihr plötzlich, als fiele ein zweiter dunkler Fleck auf ihre gespannt erwartungsvolle Stimmung. Isabell, ihre Lieblingsfeindin.
Aber so locker wie möglich lächelt sie zurück. Dann dreht sie sich um, schiebt Fritze zur Tür rein und küsst ihren Opa Rudolf auf die Wange.
»Fehlt nur noch die FDJ-Delegation«, sagt Mark, und Eule kichert.
Nele sieht auf die Uhr. »Fünf vor erst. Wir können ja schon mal zur Straße runter.«

Sie rollen vom Hof, auf den Weg vor dem Haus, da kommen sie ihnen entgegen. Nele, die ihrem Opa Rudolf zuwinkt, der aus dem Wohnzimmerfenster lehnt, sieht sie nicht. Erst als sie um ein Haar auf Meikes Hinterrad aufgefahren wäre, merkt sie, dass die anderen stehen geblieben sind, und da entdeckt sie Martins blondes Haar mitten im Pulk. Sie hat schon einen Begrüßungsruf auf den Lippen, da sieht sie das Mädchen neben ihm.

Ihre Freude verwandelt sich augenblicklich in heiße Wut. Wie kann er nur! Wie kann er sie so täuschen! Sie hat gedacht, da wäre was zwischen ihnen. Und jetzt bringt er seine Freundin mit! Es ist wie ein dritter dunkler Fleck auf all ihrer Erwartung, einer, der sich schnell ausweitet, alles einfärbt. Einen Augenblick überlegt sie, ob sie auf der Stelle umkehrt, zurück zu Opa Rudolf und Fritze.

Aber dann öffnet sich ein Spalier. Alle Augen richten sich auf Nele. Anja mit ihrem ungläubigen Staunen. Isabell lächelnd, als habe sie alles durchschaut.

Nele reißt sich zusammen. Mit weichen Knien, das schwere Fahrrad mit der linken Hand balancierend, geht sie auf Martin zu.

»Hallo«, sagt Martin. »Da sind wir also.«

»Ja toll«, sagt Nele. Sie spürt, wie ihr das Blut in den Kopf steigt, sie kann ihre Aufregung einfach nicht verbergen.

»Das ist Petra«, sagt Martin. »Meine ...«

»Ja toll!«, sagt Nele, und diesmal liegt all ihre Wut in diesen zwei Wörtern. Aus den Augenwinkeln sieht sie: Anja teilt ihre Empörung. Isabell triumphiert.

Einen Moment sieht Martin irritiert in die Runde. Dann sagt er: »Meine Schwester.«

Für Nele ist das wie ein Zauberspruch. Als wäre der hässli-

che Frosch an die Wand geplatscht, und zack, steht da der Prinz.
Am liebsten würde sie ihm um den Hals fallen. Ihm irgendwie zeigen, wie froh sie ist. Aber schließlich geht sie doch nur auf das blonde Mädchen neben Martin zu und streckt ihr die Hand hin.
»Hallo, Petra.«
»Hallo, Nele.«
»Alles okay?«
»Okay, ja klar.«
»Dann kann's ja losgehen«, sagt Nele. All ihre Unsicherheit ist verflogen. Das weiche Gefühl aus den Knochen. Fast könnte sie schon über sich lachen. Sie schwingt sich aufs Rad und rollt als Erste zur Landstraße hinunter.
Im Dorf winken sie voll Übermut den Leuten hinter den Gardinen zu, und als sie am Dorfausgang der Zeitungsfrau begegnen, ruft Wölfi ihr zu: »Wo geht's denn hier nach Holland?«
Alle lachen, nur die Zeitungsfrau Meta Baumann nicht. Sie wird sich die Sache merken und bei entsprechender Gelegenheit im Dorf erzählen, was das für eine ist, die Tochter von den Lehrersleuten, die Enkelin vom alten Lentz, respektlos und verwildert.
Aber das kümmert Nele im Augenblick wenig. Sie fährt weg. Zwei, drei Wochen vielleicht. Der Fahrtwind legt sich angenehm kühl auf ihr Gesicht, am Himmel ist kaum eine Wolke, vor ihr fährt jetzt Wölfi, der Clown, und hinter ihr fahren Martin und Petra.
Sie rollen aus dem Dorf, wechseln auf den Radweg, und

Mark bleibt zurück. An seinen Rennradlenker hat er eine Halterung gebaut, an der die Landkarte klemmt. Natürlich muss Mark allen seine Wichtigkeit beweisen und vorn fahren, sonst wäre er nicht Mark. Dass er zurückbleibt, hat seinen Grund. Als er neben Martin und Petra ist, sagt Mark so laut, dass alle – und vor allem Nele – es hören: »So, Schwester nennt man das also bei euch!«

Anja dreht sich um und grinst. Eule kichert.

Martin sieht Mark verständnislos an. »Wie meinst du das?«

»Ich meine«, sagt Mark, »mir würde das jedenfalls unheimlich schwer fallen, freiwillig mit meiner Schwester in Urlaub zu fahren.«

Martin zieht die Schultern hoch. Es fällt ihm nicht ein, was er darauf antworten könnte.

Da mischt Wölfi sich ein. Mit einem anerkennenden Grinsen in Petras Richtung sagt er: »Kommt doch ganz auf die Schwester an, Mark Speckauge. Bei deiner Schwester, na klar.«

Und ganz im Frotzelton der anderen sagt Petra: »Würdest du lieber mit deiner Großmutter fahren?«

Sie hat alle Lacher auf ihrer Seite. Unverhofft hat sie einen Volltreffer gelandet. Die meisten haben Marks Großmutter noch lebhaft vor Augen. Eine strenge Frau mit Haardutt und eisigem Blick. Vor nicht mal einer Woche hat sie mit einem energischen Auftritt Marks Party gesprengt.

Mark tritt in die Pedale und setzt sich wieder an die Spitze der Karawane.

»Speckauge, sei wachsam!«, ruft Wölfi hinter ihm her, und Petra grinst.

Wölfi ist in Ordnung, denkt Nele. Bei allen Schwächen. Irgendwie fällt ihm immer das Richtige ein.
Dass Petra Martins Schwester ist, bezweifelt Nele jetzt nicht mehr. Erstens sieht man es deutlich, und zweitens erinnert sie sich nun, dass Martin ihr am Montag von einer Schwester erzählt hat. Flüchtig nur, und sie hatte es wieder vergessen.
Auf Radwegen und Nebenstraßen erreichen sie schließlich gegen halb elf die Weser hinter Münden. Es ist warm geworden, und Wölfi besteht darauf, an einer flachen Stelle die Beine ins Wasser zu tauchen. Anja folgt ihm, krempelt die Hosenbeine hoch, und charmant, wie nur Wölfi sein kann, ruft er so laut wie nur möglich: »Mann, Anja, hast du dicke Waden!« Wie immer macht Anja das anscheinend nichts aus. Sie lacht und schaufelt Wölfi Wasser in den Nacken.
Dann fahren sie weiter. Jeweils zu zweit nebeneinander. Petra und Martin fahren am Ende. Bisher hat Nele noch nicht mehr als zwei Sätze mit Martin gewechselt. Manchmal, wenn sie sich umdreht, treffen sich ihre Blicke. Es scheint ihm lieber, erst mal nichts reden zu müssen, Abstand zu halten.
Na gut, denkt Nele, wir haben ja Zeit, unendlich viel Zeit. So wie Eule und Mark, das möchte sie sowieso nicht. Die hängen zusammen wie die Kletten, ständig bemüht, dass alle auch sehen, wie toll sie sich lieben.

Der Abstand zwischen den Zweiergruppen wird größer. Neben Nele fährt nun Meike und ist froh, dass sie jemanden hat, mit dem sie reden kann.

»Jetzt haben sie es geschafft«, erzählt Meike. Ihre Stimme ist leise, aber vor Bitterkeit deutlich. »Jetzt geht alles kaputt. Zu Hause ist nur noch das Chaos.«
Sie fahren durch einen Wald. Links durch die Bäume schimmert der Fluss. Die Sonne blinkt auf dem Wasser.
»Vergiss es einfach eine Weile«, sagt Nele. »Wenn du kannst.«
»Die Kleinen flippen aus«, erzählt Meike weiter. »Einer nach dem anderen. Jessi heult nur noch. Matte redet mit keinem mehr. Und weißt du, was Manni gemacht hat? Als es dann amtlich war vom Gericht? Manni hat seinen Hamster ermordet und ihn Mama aufs Bett gelegt.«
Nele schluckt. Die Riegers waren eine Musterfamilie. Ein positives Beispiel für Kinderreichtum. »Wie sie das nur schaffen«, hatte Neles Mutter oft gesagt.
Aber dann, vor etwa zwei Jahren, hatte der traurige Verfall ihres gemeinsamen Lebens begonnen. Jedes Mal, wenn sie bei Meike war, hatte Nele ein Stück mehr davon mitbekommen: die wachsenden Zeitungsberge, haufenweise zerknüllte Kleider auf dem Fußboden, überall verstreutes Spielzeug, liebloses Durcheinander, das Wohnzimmer – ein Chaos. Aber das Schlimmste war, wie ihre Eltern miteinander sprachen. Das heißt, eigentlich sprachen sie gar nicht mehr miteinander, sondern nur noch über ihre Kinder. »Meike, würdest du deiner Mutter bitte mitteilen, dass die Gardine im Bad seit einem halben Jahr zerrissen ist.« »Manni, bitte sag deinem Vater, dass ich seinen Pfeifengestank in der Küche nicht länger ertrage.«
»Vielleicht wird es ja für euch alle besser, wenn sie richtig

geschieden sind«, sagt Nele. »Red mal mit Annika aus der C. Bei denen läuft das ganz gut, glaube ich. Ihr Vater arbeitet jetzt irgendwo im Osten. Silvester hat er sie eingeladen, sie und ihre zwei Brüder, und jeder durfte zwei, drei Freunde mitbringen. Da haben sie eine große Fete gemacht. Und Weihnachten waren sie sogar wieder alle zusammen bei den Großeltern in Hannover.«
Meike schüttelt den Kopf. »Meine Eltern nie«, sagt sie. »Die haben nur noch ihren Hass.«
Trotz der Wärme wird Nele kalt. Klar, denkt sie, wie es anderen Leuten geht, das hilft Meike jetzt auch nicht weiter. Aber was kann ihr überhaupt helfen? Wahrscheinlich nur, dass jemand da ist und ihr zuhört.
»Weißt du«, sagt Meike nach einer Weile. »Irgendwie fühle ich mich ja auch mies, dass ich jetzt einfach abgehauen bin. Die Kleinen tun mir Leid. Aber die Ferien zu Hause – ich glaube, ich würde kaputtgehen.«
»Mach dir keinen Kopf«, sagt Nele. »Das ist okay so.«
Meike erzählt nun von ihrer Tante Hedwig, der Pastorin, bei der sie in letzter Zeit oft über Nacht war, drei, vier Nächte hintereinander manchmal, und wenn sie eine richtig gute Freundin hätte, sagt sie, oder einen Freund, vielleicht würde sie dann von zu Hause ausziehen.
Sie erreichen das Kloster Bursfelde, und Wölfi besteht darauf, dass sie am Flussufer im Schatten der alten Bäume nun endlich eine längere Pause machen. In Grüppchen sitzen sie zusammen, strecken sich im Gras aus. Die Frotzeleien vom Vormittag sind seltener geworden. Die Aufbruchstimmung ist hitzegedämpft.

Nele hat auf diese Pause gewartet, um endlich mit Martin und Petra zu reden. Aber jetzt bringt sie es nicht fertig, Meike, die noch lange nicht mit ihrer Geschichte am Ende ist, einfach allein zu lassen, und setzt sich mit ihr auf einen Baumstamm am Waldrand, ein Stück abseits von den anderen. Wir haben ja Zeit, denkt Nele. Unendlich viel Zeit.
Petra und Martin sitzen bei Anja und Wölfi. Nele sieht es mit einem Auge. Und mit einem Ohr versucht sie zu hören, was sie dort reden. Sie möchte so gern, dass Martin sich mit Wölfi versteht. Und mit Arno. Und mit Anja und Meike. Dann wären sie doch eine ganz annehmbare Clique. Warum Isabell überhaupt mitgefahren ist? Wegen Arno vielleicht? Und Mark und Eule brauchen die anderen doch gar nicht. Die brauchen nur Publikum.
Meike spürt Neles Unaufmerksamkeit und schweigt. Auf dem Fluss gleiten zwei ältere Paddler vorbei und winken.
Auf einmal steht Isabell auf und fragt in die dösige Mittagsstimmung hinein: »Wer kommt mit ins Kloster? 900 Jahre alt. Romanischer Bau. Mit einer Glocke aus Königsberg. Stammt aus den Zeiten von Immanuel Kant.«
Die spöttischen Blicke der anderen hat sie erwartet. Mit ihrem selbstsicheren Lächeln, das ihr etwas Überlegenes gibt, dreht sich Isabell um und geht auf den Klosterbau zu, der mit seinem Doppelturm wie geduckt zwischen den hohen Bäumen liegt.
»Grüß die Mönche, Ortrun!«, ruft Wölfi hinter ihr her. Das Lachen ist mäßig, Isabell tippt sich gelangweilt an die Stirn.
Eigentlich hätte sich auch Nele das Kloster gern angesehen. Klöster interessieren sie. Räume, in denen man so viel spü-

ren kann von einer ganz anderen Zeit, von einem ganz anderen Leben. Wenn nicht ausgerechnet Isabell ...
»Weißt du, was ich glaube«, sagt Meike. »Die Menschen sind einfach zu blöd, um miteinander leben zu können.«
Nele sieht sie an, zieht die Schultern hoch.
»Richtig miteinander«, sagt Meike. »Ich meine, dass einer wirklich für den anderen da ist. Das gibt es überhaupt nicht. Jeder ist doch nur mit sich selber beschäftigt.«
Nele spürt den leisen Vorwurf in Meikes Stimme. Sie hat ja Recht, denkt sie. Und trotzdem wehrt sich etwas in ihr, sich schuldig zu fühlen. Was kann sie dafür, dass Meikes Eltern sich trennen.
»Jeder Mensch hat die Freiheit«, sagt Nele, »so oder so zu sein. Oder noch ganz anders.«
»Die Freiheit«, sagt Meike bitter. »Die nutzen sie doch nur dazu aus, alles kaputtzumachen.«
»Oh Meike.« Mit Worten weiß Nele nicht weiter. Sie legt ihrer Freundin die Hand auf die Schulter und streichelt sie. Meikes Gesicht bleibt unbewegt, bitter und hart. Flüchtig spürt Nele eine eigenartige Fremdheit, fast so etwas wie Angst vor dem, was sich da hinter Meikes Gesicht verbergen könnte, und das Schlimmste ist, denkt Nele, das Schlimmste ist, dass sie so etwas sagt und dabei nicht weint.
Nele sieht zu den anderen hinüber und entdeckt, dass Martin nicht mehr bei ihnen sitzt. Er geht unter den Bäumen entlang auf das Kloster zu.

Mit offenem Mund sieht Nele ihm hinterher. Alles in ihr zieht sich zusammen, wird zu einem einzigen, schneidenden Schmerz.

»Was ist los?«, fragt Meike.
»Nichts«, sagt Nele.
Aber jetzt schaut auch Meike in die Richtung, in die Nele wie hypnotisiert starrt, und beobachtet, wie Martin hinter den Bäumen verschwindet.
»Er geht ins Kloster«, sagt Meike, »na und?«
»Jaja«, sagt Nele. »Ist ja nicht wichtig.«
»Wieso soll das wichtig sein?«
»Eben«, sagt Nele.
Aber auf einmal vergeht die Zeit mit unerträglicher Langsamkeit.
»Freiheit«, sagt Meike. »Das ist doch nur so ein Wort, hinter dem sich alle verstecken. Am Ende will doch jeder nur seinen eigenen Vorteil.«
Für Nele ist auf einmal alles wirr und durcheinander. Sie kann Meike nun einfach nicht länger zuhören, steht auf und läuft zum Fluss hinunter. Sie streift die Schuhe ab, stakst über scharfkantige Steine zum Wasser. Es pikst und zwackt an den Füßen, und die großen Steine sind glitschig. Dann bückt sie sich, hebt ein paar Kiesel auf und wirft einen flach über die Wellen. Henning kann das. Zehn- bis fünfzehnmal titscht der Stein auf, wenn er ihn wirft. Neles Stein geht schon nach dem zweiten Wasserkuss unter. Die anderen wirft sie alle zusammen in die Mitte des Flusses.
Dann wird ihr klar, dass alle ihr zusehen. Betont langsam, wie beiläufig, dreht sie sich um, nimmt ihre Schuhe auf und geht barfuß durchs Gras zurück.
Aus der anderen Richtung kommen Isabell und Martin. Sie sind ins Gespräch vertieft, und als Nele sie sieht, bleibt sie

einen Moment lang stehen. Dann aber gibt sie sich einen Ruck und geht auf sie zu.

»Na, war's toll im Kloster?«, fragt Nele. Ihre Stimme klingt belegt, und sie stellt sich vor, alle könnten das Durcheinander in ihr sehen.

Isabell lächelt.

Ganz sachlich sagt Martin: »Benediktinerabtei. 1093 gegründet. Von den Grafen von Northeim.«

Mehr sagt er nicht. Aber Nele erscheint er plötzlich wie ein gut gedrillter Schüler, der brav hersagt, was seine Lehrerin hören will.

Und tatsächlich sagt Isabell: »Martin interessiert sich eben für Kultur.«

Wölfi lacht.

Nele beißt die Lippen aufeinander. Kopfschüttelnd geht sie an Martin und Isabell vorbei. Aber noch bevor sie bei Meike ist, dreht sie sich um und sagt: »Wird Zeit, dass wir jetzt endlich weiterfahren.«

Zwar fährt Martin nun wieder neben seiner Schwester, aber nicht mehr am Ende des Zuges. Am Ende fährt Nele. Und neben ihr Meike. Nele bemüht sich, den Geschwistern Klinger vor ihnen nicht zu nahe zu kommen. Irgendwie sind die einem doch fremd, denkt Nele.

»Weißt du, was ich mir nie im Leben anschaffen werde?«, sagt Meike.

»Nein«, sagt Nele.

»Kinder.«

Schweigend rollen sie weiter. Ein Auto hupt, und Nele muss vorfahren. Oh Mann, denkt sie. Der Tag hat doch so gut

begonnen. Und jetzt ist ihr die Freude an der Fahrt schon fast vergangen.
»Na ja«, sagt Meike, als sie wieder neben ihr ist, und der Vorwurf in ihrer Stimme ist nicht zu überhören. »Du hast ja auch anderes im Kopf.«
Das nun auch noch. Nele seufzt. »So ein Quatsch, Meike.«
Aber sie sagen nun beide nichts mehr, und Nele findet das Schweigen immer bedrückender, je länger es dauert.
Vor Nele, im Abstand von zwanzig Metern etwa, fährt Martin. Nicht ein einziges Mal hat er sich nach ihr umgedreht. Neben ihm seine Schwester. Irgendwas Förmliches, Steifes haben sie beide.
Und plötzlich denkt Nele: Ohne die wäre alles viel besser. Meikes Probleme reichen mir doch. Ohne die hätte ich Meike zuhören können, richtig eben. Gut, können sie nichts dafür ... aber ... aber eigentlich kenn ich ihn doch überhaupt nicht. Wie komme ich bloß dazu, ihn einfach einzuladen? Weiß ich denn, ob er nicht vielleicht doch so einer ist, Musterschüler ... Nachbeter ... Strammsteher ... Anschwärzer ... Vielleicht haben sie die alle zu so was gemacht ...
Der rote Berg. Der künstliche Berg hinter dem Sonnenstein. Auf einmal hat Nele ihn wieder deutlich vor Augen. Als würde sie unten an seinem Fuße stehen, und die rotbraune Wand versperrt ihr die Aussicht. Und alles, was sie jetzt für den Jungen da vorn auf dem Fahrrad noch fühlt, ist nur noch wie das Erschrecken über den roten, unnatürlichen Berg in der Landschaft.

8

Einbildung alles. Irrtum. Aus und vorbei. Die Hände hinter dem Kopf verschränkt, liegt Martin im Zelt, hört auf das gleichmäßige Rauschen der Autobahn, die Stimmen vom Campingplatz, die fernen Geräusche der Großstadt.

Die Füße neben seinem Kopf, liegt Petra auf dem Bauch und liest. Von Zeit zu Zeit sieht sie von ihrem Buch auf, sieht zu den Nachbarzelten hinüber wie in Erwartung, dass an diesem Abend noch irgendetwas passiert. Immer ist Petra in Erwartung, dass etwas passiert. Etwas, das alles Bisherige in den Schatten stellt.

»Morgen machen wir die Mücke«, sagt Martin.

»Machen wir nicht«, sagt Petra, ohne von ihrem Buch aufzusehen. »Nur weil deine Nele mit Wölfi abgehauen ist.«

»Wenn du nicht mitkommst, fahr ich allein.«

»Dann fahr doch, Mensch. Nach drei Tagen schon kneifen, da kannst du nie jemanden kennen lernen.«

»Die sind doch alle ganz anders als wir.«

»Quatsch. Nur weil deine Nele nicht so will wie du ...«
Mit einem Ruck fährt Martin hoch. »Hör auf!«, schreit er seine Schwester an.
Petra dreht den Kopf und sieht über die Schulter zu ihm hinauf. Er hat einen roten Kopf, und in seinen Augen steht Hilflosigkeit.
»'tschuldigung«, sagt Petra.
Langsam lässt er sich zurückfallen und starrt gegen das Zeltdach. Nicht mal mit seiner Schwester kann er jetzt reden. Ihr Schweigen ist – mehr als alle Worte – ein Vorwurf an seine Unfähigkeit, zu sein wie alle anderen. Leicht und locker, nur nichts ernst nehmen. Sich über nichts wundern. Und schon gar nicht über dieses Mädchen, das ihn einlädt und plötzlich tut, als gäbe es ihn gar nicht.
Er wird nicht klug aus ihr. Da war doch was zwischen ihnen. Auf dem Sonnenstein. Bei ihr zu Haus. Warum hatte sie ihn angerufen? Und jetzt redete sie nur mit den anderen. Von früh bis spät Schule, Lehrer, Partykram. Die seltsame Isabell hatte sich an ihn gehängt. Im alten Kloster haben sie noch ganz sachlich miteinander geredet. Über Baustile und Mönchsleben und so. Dann aber ist sie immer wieder gekommen und hat ihn in ganz andere Gespräche verwickelt. Man könnte denken, sie sei es gewesen, die ihn zu dieser Radtour eingeladen hat.
Am ersten Abend auf dem Zeltplatz in Gieselwerder wäre er viel lieber mit Nele und den anderen in die Stadt gegangen. Aber Isabell hat das verhindert. Er saß mit ihr und Petra an einem Tisch vor dem Campingplatzkiosk, da zogen die anderen vorbei.

»Kommt ihr mit? Pizzeria am Marktplatz?«
»Wir reden gerade so toll«, hatte Isabell mit unergründlichem Lächeln geantwortet. »Vielleicht kommen wir nach.«
»Dann unterhaltet euch gut.« Neles Stimme klang leicht und locker und ohne Bedauern. Fremdheit war plötzlich wieder zwischen ihnen.
Natürlich waren sie nicht mehr zu den anderen gegangen. Bis weit in die Dunkelheit haben sie »toll geredet«, und Martin hat sich von Minute zu Minute mehr darüber geärgert, dass er zu feige war, einfach aufzustehen und zu gehen. Nicht eigentlich Isabell hat ihn daran gehindert, viel mehr eine seltsame Angst vor Nele.
Isabell kann reden wie eine Lehrerin. »Die DDR war ja nicht nur schlecht«, hat sie doziert, als müsse sie ihnen das klar machen. »Keine Arbeitslosigkeit, niedrige Mieten und so, das war schon okay.« Tausend Sachen hat sie wissen wollen über FDJ, Fahnenappell und Jugendweihe. Wenn sie in der DDR gelebt hätte, hat Isabell gesagt, wäre sie wahrscheinlich auch dafür gewesen.
Ihren Ansichten konnte er nicht widersprechen. Aber je länger sie redete, desto stärker wuchs sein Widerwille gegen alles, was sie sagte. Ihm war es vorgekommen, als seien seine Schwester und er für die kluge Isabell nichts anderes als Vertreter dieses verschwundenen Staates, nichts als Dinosaurier im Freilaufgehege, die es mit wissenschaftlichem Interesse zu erforschen galt. Er hatte sich schließlich ins Schweigen geflüchtet und das Reden seiner Schwester überlassen.
Und am zweiten Tag war alles so weitergegangen. Isabell

hatte sich auch durch sein Schweigen nicht abschütteln lassen, und seine Versuche, allein mit Nele zu reden, waren kläglich gescheitert. Immer war sie von anderen umringt, in andere Gespräche vertieft, weit weg. Manchmal lieh sie sich Eules Walkman aus und fuhr mit Knöpfen im Ohr. Ab und zu schien es ihm, als würde sie ihn heimlich beobachten, aber dann lachte sie wieder mit Arno und Anja und Wölfi und tat, als wäre er ihr fremd.

Sie waren durch schöne Landschaften gefahren, Wälder und Hügel, überraschende Ausblicke und zu ihrer Linken immer der Fluss. Manches, was er auf der Karte las, hätte er sich gern angesehen, Münchhausens Gartenpavillon in Bodenwerder, Rattenfängerstadt Hameln, Porta Westfalica, aber gehalten hatten sie nur in Grohnde und Würgassen, und Isabell hatte, wie offenbar von allen erwartet, flammende Reden gegen die Kühltürme der Atomkraftwerke geschleudert.

Je länger er mit den anderen zusammen war, desto öfter hatte sich Martin bei dem Wunsch ertappt, allein zu sein. Einfach in die Wälder gehen, im Gras liegen und die Schiffe auf dem Fluss vorüberziehen lassen, den Wolken am Himmel nachsehen, nichts hören und nichts reden müssen.

In der Gruppe fühlte er sich mehr und mehr wie ein Gefangener. Er musste sich ihrem Tempo unterordnen. Es schien ihm, als seien sie angetrieben von einer panischen Furcht, dass sie sich mit sich allein nur langweilen könnten.

»Tote Hose hier überall«, hatte Wölfi verkündet. »Am Wochenende müssen wir unbedingt in Bremen sein.« Was Wölfi sagt, ist der heimliche Maßstab für alle.

Als wären sie auf der Tour de France, hatten sie Kilometer um Kilometer geschluckt, waren von der Großstadt angezogen worden wie von einem Magnet, und kaum hatten sie ihre Zelte auf dem Campingplatz am Stadtwaldsee in Bremen aufgebaut, waren Nele und Wölfi verschwunden.
Morgen wird er sich absetzen. Endlich allein sein, wenn Petra tatsächlich nicht mitkommt. Vielleicht fährt er – statt zurück zu den Großeltern ... Aber Petra würde das Zelt haben wollen ...
Da erscheint Anjas breites Gesicht in der Zeltöffnung. »He, ihr beiden, kommt ihr mit?«
»Wohin?«, fragt Petra.
»Disko. Nele und Wölfi sind schon mal los.«
Martin richtet sich auf, zieht die Beine an.
»Klar«, sagt Petra. Aber dann sieht sie über die Schulter zu ihrem Bruder und schickt einen bedeutungsvollen Blick zu Anja, als wolle sie sagen: »Aber was machen wir mit dem Muffelkopf?«
»Komm mit, Martin«, sagt Anja.
Sie sehen ihn an wie einen Kranken, und Martin starrt auf den Colafleck auf dem Zeltboden und schweigt.
Aber wieso ist da plötzlich wieder diese verrückte Hoffnung? Dass alles vielleicht doch anders sein könnte. Vielleicht hat Petra Recht. Erst mal gucken. Gucken kostet nichts. Vielleicht ist er nur zu feige. Zu feige, sich einzulassen. Auf Zufälle. Auf Chaos. Auf ihre Art zu leben. Gucken kann er doch mal.
Noch einmal zum Abschied.
»Na gut«, sagt er. »Gehen wir.«

Fünf Mark Eintritt, Stempel auf die Handrücken, dann sind sie drin. Tischfußball am Eingang, Flipper, Lichtgewitter auf der Tanzfläche, Techno, vibrierende Bässe, Rhythmus, der durchschlägt.

»Na?«, schreit Arno, und Petra schreit zurück: »Kleiner als das Glashaus in Worbis!«

Die Tanzfläche ist belagert, Schlipstypen und Punks, die meisten älter als sie, viel schwarzes Leder, Markenjeans, hochstelzige Mädchen in Minis und engen T-Shirts, Anmacher, Beobachter, aber keine Spur von Nele und Wölfi.

Sie gehen die Treppe hinauf, oben ist weniger Betrieb, Stau nur vor der langen Theke, sie finden noch Platz an der Balustrade und sehen auf die Tanzfläche hinunter.

Bis zu den Knien stehen sie da unten im Nebel. Tanz auf der Wolke. Im Takt der Stroboskope scheinen die fließenden Bewegungen der Tänzer verwandelt in schnell aufeinander folgende Standbilder. Zwischen den hellen Lichtblitzen streichen grüne Lichtkegel über die wogende Masse der Körper.

Was geht es ihn noch an? Fast zwei Stunden sind sie durch das nächtliche Bremen geirrt, und längst hat er bereut, dass er doch wieder umgefallen ist. Wie kommt er bloß darauf, dass er hier in der Disko ein einziges vernünftiges Wort reden könnte.

Sie sind alle ganz anders. Cool und immer auf Eindruck. Und Petra gehört mehr zu ihnen als zu ihm. Als Nächstes fahren sie nach Amsterdam, der Coffee-Shops wegen. Als hätte ihnen das irgendjemand so vorgeschrieben.

Da sieht er Nele. Fast unter ihm, am Rand der Wolke.

Selbstvergessen wiegt sie ihren Körper im Takt der immer gleichen Rhythmen. Mit traumwandlerischer Sicherheit zieht sie ihre Kreise. Sie tanzt allein wie die meisten da unten.
Der Augenblick, in dem er sie entdeckt, ist wie ein Schreck. Alles, was ihm einfällt ist: Sie ist schön. Schön und fremd. Und weit entfernt von ihm. Inmitten der Maschinenmusik, des Lichtspektakels, mitten in der künstlichen Welt.
Als tanze sie auf einem anderen Stern.
Aber er kann den Blick nicht von ihr losreißen. Er muss sie sehen. Er muss sie beobachten. Einmal noch. Damit er sie in Erinnerung behält, so wie sie ist. Auch wenn es wehtut.
Ein großer Blonder mit offenem Hemd und Pferdeschwanz kommt ein paar Mal in ihre Nähe. Er beugt sich vor, stützt die Hände auf die Oberschenkel, schüttelt seine Haare.
Ohne sich weiter um die anderen zu kümmern, geht Martin an der Balustrade entlang. Unter einem künstlich blühenden Apfelbaum ist sogar ein Sitzplatz zu haben. Hier ist er Nele gegenüber und kann ihr mit Blicken überallhin folgen. Dass sie ihn hier oben entdeckt, glaubt er nicht. Sie sieht nur nach innen.
Plötzlich legt ihm jemand die Hand auf die Schulter. Wölfi steht neben ihm, lacht, nickt zur Tanzfläche hinunter und schreit ihm etwas ins Ohr. Martin zieht die Schultern hoch. Lächelnd, mit großzügiger Handbewegung, gibt Wölfi zu verstehen: War auch nicht wichtig. Mit schlurfendem Gang schiebt er sich zu den anderen hinüber.

Nele tanzt. Tanzt allein in der Menge. Er sieht sie besser als vorher. Ganz deutlich. Die schwarzen Haare wehen ihr ins

Gesicht. Zwischen dem rotweißen T-Shirt und den Jeans blitzt ein Stück Bauch. Nele tanzt. Sie ist in einer anderen Welt. Tanzt ihren Traum.
Morgen fährt er weg. Schluss, aus, vorbei die närrische Hoffnung. Morgen wird er endlich allein sein. Morgen fährt er nach Mecklenburg. In sein Dorf. In seine Träume. Nele tanzt. Tanzt ganz allein. Morgen ist es eine Woche her, dass er sie kennt. Er sieht es wieder deutlich vor sich: Sie stehen auf dem Sonnenstein und sehen hinunter Richtung Westen. Sie ist begeistert von der Aussicht.
»Sieh dir das an! Wie aus dem Flugzeug!«
Dass sie darüber so staunen konnte.
»Wenn die Thermik stimmt ...«
Martin steht auf. Plötzlich ist er entschlossen.
Petra und die anderen stehen vor der Theke. Er geht an ihnen vorbei, hebt die Hand und zieht die Schultern hoch, als sie nach ihm rufen und winken.
Er geht die Treppe hinunter, alles in ihm ist jetzt Anspannung, Erregung. Er drängt sich vorbei an den eng zusammenstehenden Zuschauern vor der Tanzfläche, und auf einmal ist er mittendrin.
Einen Augenblick lang muss er sich orientieren, Augen und Ohren einrichten auf das Lichtgewitter und die hämmernden Töne. Hier unten zu stehen ist ganz anders, als alles nur von oben zu beobachten. Als wäre er ins Wasser gesprungen, ohne schwimmen zu können.
Aber hier gibt es keine Regeln. Schwimmen kann, wer den Mut dazu hat. Er tappt in die Richtung, in der er Nele vermutet, setzt seine Schritte sparsam, schwenkt die Arme.

Jetzt ist er beim Haarschüttler, begrüßt ihn innerlich wie einen alten Bekannten. Der Haarschüttler merkt es und tanzt ihn an. Martin wagt eine Drehung, wird abgetrieben, nimmt neuen Anlauf.

Und plötzlich steht er vor Nele. Wie erwartet, sieht sie ihn nicht. Sie beugt ihren Oberkörper zurück, schwingt hin und her. Hat eine hohe Mauer um sich herum. Es ist möglich, dass sie ihn gar nicht bemerken wird.

»He, Drachenflieger!«, ruft Martin. »Komm auf die Erde zurück!«

Sie blinzelt, reißt die Augen auf, sieht ihn und lacht. Zwei, drei Schritte tanzt sie auf ihn zu, dann legt sie ihm die Hand auf die Schulter, als müsse sie prüfen, ob er nicht nur ein Gespenst ist, hergestellt aus flackerndem Licht.

Ein gutes Lachen in ihren Augen.

»Schön, dass du da bist!«

»Und ich habe gedacht, du und Isabell ...«

Es ist halb vier. Der Sonntag-Sommermorgen dämmert über dem Fluss. Ein Lastkahn schiebt sich stadtauswärts.

Auf dem Weg von der Disko zurück zum Campingplatz haben sie sich wieder verlaufen. Nele und Martin mit Absicht. Bevor Arno die Orientierung wieder gefunden hat, haben sie sich in eine Nebengasse abgesetzt. Irgendwie sind sie dann hier unten an der Weser gelandet.

Sie sitzen auf der Uferbefestigung und sehen, wie der Kahn langsam vorbeizieht.

»Es reicht mir mit den Lehrerinnen«, sagt Martin.

Er legt ihr den Arm um die Schulter. Schweigend sehen sie

zu, wie die Wellen, die der Kahn hinterlässt, links und rechts ans Ufer schlagen.
»Hör mal«, sagt Martin, »würdest du mitkommen morgen? Nach Mecklenburg?«
Sie zieht die Stirn kraus und sieht ihn an.
»Wie?«
»Ich meine: du und ich?«
»Nach Mecklenburg?«
»Nach Mecklenburg.«
Sie sagt keinen Ton. Schweigt eine Ewigkeit. Danach stützt sie sich auf seine Schulter, steht auf, und die Hände auf dem Rücken, geht sie am Rand der Uferbefestigung von ihm weg bis zur Biegung des Flusses, steht dort eine Weile und sieht zur Stadt hinüber, dann kommt sie zurück, setzt sich wieder neben ihn und sagt: »Das ist ziemlich verrückt, du. Ich glaube, das machen wir.«

9

»Nele, echt?« Anja tut, als würde sie ihre beste Freundin nun erst richtig kennen lernen. Als wäre Neles Vorleben nur Tarnung gewesen, und jetzt zeigt sie ihr wahres Gesicht. Schlimm genug, dass sie heute Morgen erst wer weiß wann auf den Campingplatz zurückgekommen ist, jetzt haut sie tatsächlich ab mit dem. »Das kannst du doch nicht machen!«

Sie stehen im Halbkreis um sie herum, wie zur Gerichtsverhandlung. Anja ungläubig, Arno kopfschüttelnd, Meike enttäuscht, Eule und Mark glotzäugig, Wölfi müde lächelnd und Petra plötzlich unsicher. Nur Isabell sitzt in der Öffnung ihres Zeltes und tut, als ginge sie das alles nichts an.

Die Sachen sind gepackt, die Räder beladen, es könnte jetzt losgehen. Nele dreht an ihrem Lenkergriff, lächelt Anja zu und sagt: »Mach's gut, Dicke. Pass gut auf Wölfi auf. Macht's gut, alle ...«

Sie hat ein komisches Gefühl im Bauch. Bis in die Knie. So ein komisches Flattern.

»Erst organisiert sie alles – dann haut sie ab«, sagt Meike. »Echt die Härte.«
Mark und Eule halten sich noch etwas enger umschlungen als gewöhnlich und glotzen Nele mit seltsamer Feierlichkeit an. Als würden sie damit rechnen, sie nie wieder zu sehen.
Wölfi grinst, gähnt, schwingt sich schließlich doch noch zu Theatralik auf: »Mann, Nele, das willst du uns antun? Nach dir die Ödnis!«
Nele schluckt. Es fällt ihr nicht ein, was sie auf all das antworten könnte. Fehlt bloß noch, dass sie im letzten Moment schwach wird.
Martin neben ihr sitzt schon halb auf dem Rad und redet mit seiner Schwester. Irgendwie wäre es Nele lieber gewesen, sie wäre auch mitgekommen. Aber Petra wollte nicht. Erst in der letzten halben Stunde, beim Packen, hat es manchmal so ausgesehen, als wollte sie vielleicht doch ...
»Grüß Gesche und Henner«, sagt Petra. »Und Rüdi, wenn du ihn siehst.«
»Mach ich«, sagt Martin. Dann sieht er zu Nele.
Sie nickt. Ja, komm. Los jetzt, und kein Blick mehr zurück.
Nele schwingt sich aufs Rad, steigt in die Pedale, rollt an den anderen vorbei, lächelt, den Blick nach vorn.
Hinter dem Campingplatz müssen sie auf eine verkehrsreiche Straße. »Ich fahr schon mal vor«, sagt Nele, und Martin nickt.
Obwohl Sonntag ist, rauschen die Autos fast ohne Unterbrechung an ihnen vorbei. Nele hat auf die Karte gesehen. Bis Worpswede, denkt sie, weiß sie Bescheid.

In der Nacht, gegen Morgen wohl schon, wacht er auf. Unter ihm knarrt etwas, dann kommt leises Stöhnen dazu, das allmählich in Wimmern übergeht.
Martin schlägt die Augen auf, sieht gegen das Grau der Decke, scharfer Schweißfußgeruch steigt ihm in die Nase und der Dunst von Alkohol. Eine Weile hält er die Luft an, dann richtet er sich auf und sieht über den Rand des Hochbetts. Der schwarzhaarige Kölner liegt in allen Klamotten auf dem unteren Bett gegenüber und schläft tief und fest und ohne Schnarchen. Sein sommersprossiger Freund liegt im Bett unter Martin, wälzt sich und wimmert.
»Is' was?«, fragt Martin nach unten, aber als Antwort kommt nur schlaftrunken Unverständliches, in dem irgendeine Anni eine größere Rolle spielt.
Martin legt sich wieder zurück, die Hände hinter dem Kopf verschränkt. Bis weit nach Mitternacht haben sie ihre Sprüche geklopft.
»Mann, komm mit, rüber zu den Weibern.«
»Is' doch nicht schlecht, deine Alte.«
Und singend: »Ich beweis ihr meine Liebe – natürlich mit Kondom.«
Über dem Mutantrinken mit klebrigem Apfelschnaps waren sie schließlich eingeschlafen.
Martin sieht zum Fenster hinaus in die Dunkelheit. Da drüben irgendwo schläft Nele. Gut vierzehn Tage haben sie jetzt vor sich. Zu zweit, das ist ganz anders als in der Gruppe. Man kann sich nicht so verstecken. Natürlich kennt er sie noch nicht richtig. Sie kann abtanzen und im nächsten Moment wieder ganz da sein.

Meistens ist sie heute vor ihm gefahren. Stundenlang könnte er sie einfach nur ansehen.
Worpswede, dahin wollte sie unbedingt. Wegen der Bilder von Paula Modersohn-Becker. Sie sprach von der Malerin wie von einer Freundin, nannte sie beim Vornamen. Aber als sie dann vor den Bildern standen, war sie plötzlich doch voller Ehrfurcht. »Sie war die Größte«, hatte Nele gesagt, »weil sie die Unabhängigste war.«
Für ihre Mutter hatte sie einen Kunstdruck gekauft. Wie sie die große Rolle ohne Knick auf dem Fahrrad bis nach Haus bringen wollte, war ihm ein Rätsel.
Gegen Abend waren sie über den berühmten Weyerberg gegangen, Hand in Hand, und alles war ziemlich gut gewesen. Nur als er ihr von Henner und seinem Dorf erzählen wollte, hatte er sich verhaspelt und eine Zeit lang den Faden verloren. Irgendwas hatte ihn durcheinander gebracht, und er wusste nicht, was. Vielleicht, weil es in dieser Malergegend ein bisschen aussah wie bei ihm zu Haus? Keine Ahnung, warum.
Morgen, nein, heute ist Montag, und die Geschäfte haben wieder geöffnet. Bevor sie weiterfahren, müssen sie noch in eine Buchhandlung, eine Karte kaufen. Radwege in Mecklenburg-Vorpommern. Hoffentlich haben sie das hier.

Auf verkehrsreichen Straßen und bei drückender Schwüle sind sie am Montag von Worpswede bis Lüneburg gefahren. In Lüneburg haben sie einen ganzen Tag verloren. Montagnacht sind die ersten Gewitter losgebrochen, und den ganzen Dienstag über hat es geregnet. Sie sind in der Jugendherberge geblieben, haben gelesen und geredet. »Hoffentlich schwimmen die anderen nicht weg.« Und als der Regen am Nachmittag nachgelassen hat, waren sie im Museum und im Café. Am Abend im Kino, Western-Klamotte. Martin hat ganz brav neben ihr gesessen. Händchenhalten auf dem Heimweg und nur ein ganz flüchtiger Kuss auf die Wange. So lang, wie er ist, so langsam ist er.

Am Mittwochmorgen endlich fahren sie weiter. Martin beugt sich über die Karte, die Hand am Kinn. »Wir könnten hier über Lauenburg, Schwerin, Güstrow dann ... oder Stückchen südlich, Ludwigslust, Parchim, Plau, Röbel, am Müritz-See lang und rüber nach Neustrelitz ... am besten, wir bleiben auf kleinen Straßen, oder aber ...«

»Du, ich war da überall noch nicht«, sagt Nele. »Wenn du mir sagst, am besten über Rostock, fahr ich auch mit.«

Der Himmel ist noch verhangen, nur manchmal bricht die Sonne hervor, malt rote Kanten an die dunkelblauen Wolkenwände, und Gras und Sträucher funkeln. Wasser spritzt von der Straße, Nele streift ihre Schuhe ab und fährt barfuß. In Lauenburg überqueren sie die Elbe, Martin bleibt aber weiter Richtung Norden, also hat er sich für Schwerin entschieden, denkt Nele.

Dann kommen sie in ein Sumpfgebiet und können auf Radwegen nebeneinander fahren. Irgendwo muss ein großer See sein, aber alle Wege führen an ihm vorbei. Naturschutzgebiet, Verbotsschilder überall, nur ab und zu sehen sie ein Stück Wasser hinter den Bäumen.

»Vielleicht mach ich das später mal«, sagt Martin.

»Was?«, fragt Nele.

»Biologie. Vögel beobachten und so.«
Nele nickt. »Finde ich gut.«
Neben dem Radweg zieht sich wohl schon seit einem Kilometer ein unkrautüberwucherter Ackerstreifen. Sie folgen einem hölzernen Wegweiser, überqueren den Acker auf einer Schotterspur, und als sie schon zehn, fünfzehn Meter auf den holprigen Feldweg gerollt sind, dreht Martin sich um und sagt: »Ich glaube, das war eben die Grenze. Kann sein, wir sind jetzt in Mecklenburg.«

Er möchte ihr sagen können, was dieses Land für ihn bedeutet. Die Seen, die Hügel, der weite Himmel, die Wälder. Nicht nur das. Er möchte ihr auch sagen können, wie das war, die Zeit damals, als er ein Kind war. »Henner, weißt du, der war mein bester Freund ...« Aber Henner hat er so lange nicht mehr gesehen. Zwei-, dreimal haben sie sich geschrieben, dann ist keine Antwort mehr gekommen. Henner und Briefe, das ist eben nicht.
Seit sie in Mecklenburg sind, beobachtet Martin Nele mit noch einem Blick mehr. Er will wissen, wie sie es findet. Das Land und die Menschen. Komisch, es ist, als würde er sich vor ihr für alles verantwortlich fühlen, was ihnen hier begegnet.
Erst mal fühlt man sich klein bei so viel Himmel und Weite. Das fällt ihm jetzt selbst auf nach fünf Jahren woanders. Selten begegnet man Menschen. Viele sind weggezogen. Junge Leute vor allem. Die Gebäude der ehemaligen LPGs sind oft nur noch Ruinen. In den Dörfern sind viele Häuser

zerfallen. Unter dem verhangenen Himmel kann man schon denken, hier kriecht die Verlassenheit.
Es scheint ihm, als sei Nele schweigsamer geworden im Laufe des Tages, nachdenklich. Ob sie verstehen kann, warum das hier alles so ist? Sie kommt aus einer anderen Welt. Ihre Kunst-Mutter. Ihr Lehrer-Vater. Ihr Bank-Bruder. Ihre ganz anderen Freunde. Ihre leichte, lockere Art.
Als er darüber nachgrübelt, wie er sie aufmuntern könnte, zischt es im Vorderreifen seines Rades, und nach wenigen Metern rollt er auf der Felge.
»Mist!«, schimpft Martin.
Es ist kurz nach sechs, weder Campingplatz noch Jugendherberge sind in der Nähe, aber in knapper Entfernung führt ein schmaler Weg von der Straße ab, einen Hügel hinauf, und als sie oben sind, entdecken sie einen kleinen, baumumstandenen See.
»Ist das schön«, sagt Nele.
»Wollen wir hier bleiben?«, fragt Martin.
Sie zögert nur kurz, dann nickt sie ihm zu, und schweigend schieben sie ihre Räder zum See hinunter, bauen an einer windgeschützten Stelle das Zelt auf, weit genug vom Ufer entfernt.
Bis zum Dunkelwerden ist der Reifen geflickt, das letzte Käsebrötchen aus Lüneburg gegessen, und als sie schon bei Mondlicht noch einmal um den kleinen einsamen See gehen, wundert sich Martin über Neles plötzlich ausbrechenden Redeschwall.

»Gibt es Fischadler hier?«, will sie von ihm wissen. »Wilde Schwäne? Reiher? Störche? – Komisch, so viel Natur, so

wenig Menschen. – Meinst du, im See sind Fische? – Quaken die Frösche in der Nacht? – Du, ich könnte stundenlang hier so gehen, die ganze Nacht, glaube ich …«
Bevor sie zu ihm ins Zelt kommt, will sie noch wissen, ob es in Mecklenburg gefährliche wilde Tiere gibt oder Landstreicher und ob sie nicht doch irgendjemanden um Erlaubnis fragen müssen, wenn sie hier zelten.
Dann verschwindet sie in Jeans und T-Shirt in ihrem Schlafsack und zieht bis oben hin zu.
Plötzlich schweigt sie wieder, als wäre sie stumm.
Nach einer Ewigkeit dreht sie den Kopf in seine Richtung und lächelt.
Vorsichtig streckt er die Hand aus und streicht über ihr Haar.
Eine Zeit lang lässt sie das so geschehen, aber als seine Hand wie von selber über ihre Schulter streicht und auf ihrer Brust liegen bleibt, schiebt sie sie weg, stützt sich auf den Ellenbogen und sieht ihm in die Augen.
Ein langer, schweigsamer Blick. Auf dem Grund ihrer Augen ist keine Abweisung, kein Misstrauen. Nur Angst, dass im nächsten Augenblick etwas Schönes zerstört werden könnte.
»Wir müssen ja nicht«, sagt Martin leise.
Sie nickt. Und mit einem Ernst, den er noch nicht an ihr kennt, sagt Nele: »Vielleicht findest du mich altmodisch. Aber ich habe noch nie mit einem geschlafen. Mit dir möchte ich schon vielleicht. Aber noch nicht.«

10

Seit gut einer Stunde redet er kaum noch ein Wort. Je näher sie dem Ziel kommen, desto häufiger hält er an, sieht sich um, als müsse er die Landschaft auf ihre Echtheit prüfen, und dann scheint es Nele, als sei er in eine Geschichte vertieft, die unweigerlich auf ein böses Ende zutreibt.

Es ist Samstagmittag, die Sonne steht hoch am wolkenlosen Himmel, Hitze flimmert über den Feldern. Nele mag diesen Sommer, diese Wärme, mag sich den ganzen Tag baden im Fahrtwind. Manchmal stellt sie sich vor, sie fährt durch ein Bilderbuch. Wälder bis an die Ufer der Seen, Sandwege, Gänseherden, kilometerlange schattige Baumalleen, der weit gespannte Himmel über dem Grün und dem Blau. Nur in den Dörfern und Städten ist es, als habe ein unverständiges Kind die schöne Farbe zerkratzt. Seltsam, je weniger Martin redet und erklärt, desto mehr glaubt sie zu verstehen, wie sehr er hier zu Hause ist.

Er bremst, und Nele, in Träumen vertieft, wäre um ein Haar aufgefahren.

»Da«, sagt Martin und nickt nach vorn.
»Das ist es?«
»Ja.«
Vor ein paar Tagen noch hat Nele gedacht, er würde ihr sein Dorf vorführen wie die Hauptstadt der Welt. Jetzt ist er sparsam mit jedem Wort und jeder Geste.
Das Dorf liegt mitten auf einer Halbinsel. Die Gegend ist von Seearmen durchzogen. Wahrscheinlich kommt man hier mit dem Boot schneller von Ort zu Ort als mit dem Auto.
Auch als sie näher kommen, verändert sich der gepflegte Eindruck nicht, den das Dorf schon von weitem gemacht hat. Kleine Häuser, viele neu oder umgebaut, blumenreiche Gärten, Springbrunnen und rotmützige Zwerge, Jägerzäune und Hecken, und in manchen Fenstern ein Schild »Zimmer frei«.
»Zimmer frei« steht auch am Maschendraht der Pforte, vor der Martin sein Rad zum Stehen bringt. Das Haus dahinter ist wie die anderen in der Straße, ein Hof mit Holzschuppen, in den Autospuren führen, Hundehütte daneben, hinter dem Haus ein Gemüsegarten, Obstbäume und kniehohes Gras. Auf dem Steinweg vor dem Haus liegt ein Boxer in der Sonne, hebt halb interessiert sein Knittergesicht, glotzt zu ihnen herüber. Auf der ausgetretenen Türschwelle liegt eine schwarze Katze und kümmert sich weder um den Boxer noch um Martin und Nele.
Martin starrt auf das Haus wie hypnotisiert. Dann, ohne den Blick abzuwenden, sagt er fast tonlos: »Unser Haus. Da haben wir gewohnt.« Als wäre es eine ungeheure An-

strengung, hebt er den Arm, zeigt auf ein kleines Fenster unterhalb des Giebels und sagt: »Unser Zimmer da oben. Von Petra und mir.«
Obwohl es mit dem beladenen Rad Mühe macht, rückt Nele ein Stück zu ihm hin. Seine Augen wandern über den frisch gestrichenen Putz, am Dachfirst entlang und wieder zurück, als suche er etwas, das doch nicht einfach verschwunden sein kann. In seinem Gesicht sieht sie die Anstrengung, seine Gefühle zurückzuhalten.
Da wird über den rot blühenden Geranien zur Straße hinaus das Fenster geöffnet, eine wuschelköpfige Frau streckt den Kopf heraus und sieht zu ihnen herüber. »Was ist?«, ruft sie. »Wollt ihr ein Zimmer?«
Martin starrt sie mit offenem Mund an. Eine Zeit lang scheint er gar nichts zu begreifen, dann schüttelt er heftig den Kopf. Er springt aufs Rad, tritt in die Pedale, als würde ihn jemand verfolgen.
Bis zum Campingplatz, keinen Kilometer weit, fährt er nun zügig voraus. Die wenigen Leute, die ihnen begegnen, scheint er nicht zu kennen. Jedenfalls grüßt er keinen, aber Nele hat das Gefühl, als würden sie von allen beobachtet.
Der Campingplatzverwalter, ein fülliger älterer Mensch mit zerfurchtem Gesicht und dunkelblauem Trainingsanzug, fragt sie nach ihrem Alter.
»Achtzehn«, sagt Martin, und Nele hört, wie er sich Mühe gibt, seine Stimme auch so klingen zu lassen.

Der Mann mustert ihn noch einmal aus zusammengekniffenen Augen, dann sagt er: »Kennen wir uns nicht?«
»Nicht, dass ich wüsste«, sagt Martin.

Der Alte zieht die Schultern hoch, schiebt ihnen den Durchschlag des Anmeldeformulars über den Tresen und winkt einem schmächtigen, schwarzlockigen Jungen.
»Rico wird euch einweisen«, sagt der Campingplatzverwalter.
»Is' ja wie früher«, sagt Martin. Seine Stimme klingt auflehnend und trotzig, und der Alte schickt ihnen einen Blick hinterher, der Nele kalt im Rücken bleibt.
In einer abgelegenen Ecke, die der Verwalter sich vielleicht als Schikane ausgedacht hat, bauen sie das Zelt auf. Als sie beim Heringeeinschlagen nah voreinander knien, fasst Martin Neles Arm, nickt in die Richtung, in der die Holzbude des Campingplatzverwalters steht, und sagt: »Weißt du, wer das ist?«
»Nein«, sagt Nele.
»Der ehemalige Direktor von unserer Schule.«

Es ist Sonntagmorgen, und er ist in seinem Dorf. Auf dem Campingplatz am Erdwall jedenfalls. Fast in seinem Dorf. Noch nicht lange her, und das war eine vage Hoffnung, zu verrückt, viel zu sehr Wunschtraum, Illusion, und jetzt ist es Wirklichkeit.
»Nur noch drei Scheiben Knäckebrot«, sagt Nele. »Irgendwo müssten wir was Essbares auftreiben.«
»Vielleicht hat der da vorn was«, sagt Martin und nickt zur Bude des Campingplatzverwalters.
»Hm«, sagt Nele. »Ich geh mal.«
Während sie fort ist, dampft es auf dem Spirituskocher. Mit dem Taschentuch nimmt Martin den heißen Henkeltopf ab

und gießt das kochende Wasser auf die Teebeutel in ihren Bechern.
Mit vier Rosinenbrötchen kommt Nele zurück.
»Von gestern«, sagt sie. »Oder vorgestern.«
»Das hätt ich auch nicht gedacht«, sagt Martin, »dass der mal mit vertrockneten Rosinenbrötchen handelt.«
»Meinst du, der war bei der Stasi?«
»Sicher.«
Tief in der Kühltasche sind noch Butter und Marmelade. Nele sieht zu der Holzbude hinüber. »Brötchen verkaufen ist besser«, sagt sie.
Heute vor einer Woche sind sie in Bremen losgefahren. Die Überraschungen des Nomadenlebens können sie nun nicht mehr umwerfen. Ameisen im Tee, Sand im Schlafsack, honigverklebtes T-Shirt, alles halb so wild, da sind auch trockene Stasi-Brötchen kaum der Rede wert.
»Ich will mal zu Henner, heute Morgen«, sagt Martin. »Wahrscheinlich ist es besser, ich geh da allein hin. Erst mal.«
Nele sieht ihn an, kaut und antwortet nicht gleich.
»Ich habe ihn ziemlich lange nicht mehr gesehen«, sagt Martin. »Fünf Jahre jetzt.«
»Klar«, sagt Nele schließlich. »Du kannst ihn dann ja mitbringen. Von mir aus jedenfalls.«
Zehn, zwölf Zelte stehen auf dem Platz trotz Hochsaison, dreimal so viel wären bestimmt möglich. Der größte Betrieb ist in der Ecke mit den Wohnwagen.
Komisches Gefühl, hier als Tourist rumzulaufen, denkt Martin, als er nun geht. Und komisch auch, als er die Hand

hebt und Nele, ausgestreckt auf der Luftmatratze, sieht von ihrem Buch auf und hebt auch die Hand. »Tschüss dann, bis gleich.«

Verdammt komisches Gefühl auch, in sein Dorf zu gehen. Einfach so. Die Sonne scheint auf die Dächer. Kein Mensch ist zu sehen. Friedlich alles, als sei nicht wirklich etwas passiert.

Henner Asmuss wohnt hinter der Kirche links, letztes Haus auf dem Weg in ihren Wald. Sicher, ihre Bude dort, ihr Geheimquartier, das wird es nicht mehr geben. Auch nicht ihr Piratenfloß, die Augenbinden, die Enterhaken, die Holzschwerter, Kinderkram alles, die Zeit ist weitergegangen. Klaus Störtebeker und Godeke Michels, das sind nur Henner Asmuss und Martin Klinger. Trotzdem, wär doch gut, sich mal wieder zu sehen.

Die Straße, die früher Thälmann-Weg hieß, heißt jetzt Amseltrift und ist um zwei Häuser länger, eins noch mit Baugerüst. Neu und unübersehbar auch ein Schild in ihrem Vorgarten: ASMUSS VIDEOVERLEIH Mo.–Fr. 15–18 Uhr; Sa. 10–13 Uhr.

Erst nach dem dritten Klingeln rührt sich etwas im Haus. Eine Tür wird geöffnet, dann eine brüllende Männerstimme: »Verdammte Bande! Es gibt heute nichts! Es ist Sonntag! Merkt euch das, ihr Wichser! Sonnnntag!«

Dann knallt die Tür wieder zu. Aber Martin klopft gegen die Milchglasscheibe der Haustür, klingelt noch mal und ruft: »Ich bin's, Herr Asmuss! Martin Klinger!«

Wieder klappert etwas im Haus, ein verschwommener dunkler Fleck bewegt sich auf ihn zu, wird größer, dann

wieder die Stimme, rau immer noch, aber mit Neugierde nun: »Wer ist da?«
»Martin Klinger. Ich wollte mal Henner besuchen.«
Die Tür wird aufgeschlossen, geöffnet, und da steht Henners Vater, ein stämmiger Mann, Mitte vierzig, Eisenbahner damals, in der Zeit, die vorbei ist. Der Augenblick des Erkennens macht sie beide unsicher.
»Martin, Junge«, sagt Herr Asmuss, »was bist du groß geworden.«
»Tach«, sagt Martin und versucht ein halbwegs vertrauliches Lächeln. Aber der Mann im Bademantel, mit knapp bedecktem, quellendem Brusthaar und einer Bierflasche in der Hand, ist ihm so fremd, als habe er ihn nie vorher gesehen.
»Dachte, ihr seid westwärts«, sagt der Mann.
Martin nickt. »Sind wir auch. Bin nur mal zu Besuch.«
»Na, nun komm schon rein.« Jetzt klingt die Stimme, als hätte er Kreide gefressen.
In buntem Bademantel und hellblauen Schlappen kommt ihnen auf dem Flur Frau Asmuss entgegen. »Martin!«, ruft sie, breitet die Arme aus, bleibt dann aber stehen und schlägt die Hände vor dem Gesicht zusammen. »Was für eine Überraschung! Wo kommst du denn her?«
Er wird ins Wohnzimmer geschoben, muss Platz nehmen vor einem reich gedeckten Frühstückstisch, auf dem eine Kerze brennt.

»Greif zu«, sagt Frau Asmuss. »Warte, ich hol dir einen Teller. Kaffee ist sicher auch noch da. Bedien dich, Junge!«
Schinken mit Ei, mehrere Sorten Wurst, Marmeladen, rot,

orange und quittegelb, Käse, Toastbrot, Weintrauben, Bananen.
»Danke, ich hab schon«, sagt Martin.
Herr Asmuss hat sich inzwischen in den Sessel vor den laufenden Fernseher fallen lassen, die Beine übereinander geschlagen, sodass sein gestreifter Schlafanzug gut zu sehen ist. Er bläst den Rauch seiner frisch angezündeten Zigarette zur Decke, dreht die Bierflasche in der Hand und überlässt das Reden seiner Frau am Frühstückstisch.
»Du musst schon entschuldigen«, sagt Frau Asmuss, »aber der Sonntagmorgen, der ist uns heilig, weißt du. Wir sind jetzt die ganze Woche über unterwegs, jeden Tag in einer anderen Stadt, jede Nacht in einem anderen Hotel, da ist man froh, wenn man wenigstens den Sonntag noch hat. Na, und dann kommen ewig diese Leute, die sich an nichts halten, und wollen Videos, und Henner unten, der hört ja kein Klingeln, und diese Leute, die denken glatt, man müsste immer für sie springen, da kann man schon mal aus der Haut fahren. Ja, mein Junge, die Zeiten sind anders geworden, das kann man wohl sagen. Na, und wie geht es denn euch? Nun erzähl mal. Das ist ja traurig mit deiner Mutter ...«
Gut eine halbe Stunde lang muss er sich das nun anhören und im Hintergrund die Stimme vom Fernseher. Martin sagt nur das Notwendigste, aber für Frau Asmuss hinter dem Frühstückstisch, in Rauch gehüllt nun wie ihr Mann, scheint er trotzdem ein guter Unterhalter zu sein. Wenn sie zuhört, streicht sie sich manchmal mit den blauen Fingernägeln durch das rotbraune Haar, und Martin fällt ein, dass sie früher blond gewesen ist.

Erst, als er das dritte Mal nach Henner fragt, steht Frau Asmuss endlich auf und führt ihn in den Keller. Früher lagen hier Kohlen und Gerümpel, und eine Menge Brauchbares haben sie hier gefunden für ihre Spiele. Wolles Sturzhelm zum Beispiel, zurechtgebogen aus einem alten Zinkeimer, oder Rüdiger Brinkmanns Kettenhemd, mit dem er beinahe abgesoffen wäre im Breiten Luzin. Jetzt ist der Keller ausgebaut, hat einen eigenen Eingang, Mauern und Räume, die vorher nicht da waren.

Klar, dass Henner kein Klingeln hört und nichts. Als seine Mutter die Tür mit dem Schild

ASMUSS VIDEOVERLEIH

öffnet, sehen sie seinen semmelblonden Hinterkopf zur Hälfte über den Rand eines Sessels ragen, umfasst von Kopfhörern wie von zwei Greifarmen.

Frau Asmuss stößt den Rauch ihrer Zigarette aus, ein kurzer Blick auf Martin, dann setzt sie sich mit energischen Schritten in Bewegung, zieht Henner den Kopfhörer herunter und schaltet das Fernsehgerät aus.

»He!«, schreit Henner und springt auf. »Du spinnst wohl, was?«

»Bevor du total verblödest«, sagt seine Mutter, »guck mal, wer da ist!«

Langsam dreht Henner sich um. Sie stehen voreinander und mustern sich lange.

»Mann, dass es dich auch noch gibt«, sagt Henner endlich.

»Tach«, sagt Martin nur. Mehr fällt ihm nicht ein.

Breite Schultern wie sein Vater, kleine, blinzelnde Augen, die Narbe über der rechten Braue – noch vom Kampf der

Vitalienbrüder mit den Pfeffersäcken aus dem Nachbardorf –, äußerlich hat Henner sich kaum verändert, bisschen größer, na klar. Aber sie stehen voreinander herum, als seien sie Fremde. Kein Knuffer, kein erlösendes Lächeln.

»Ich geh dann mal«, sagt Henners Mutter und zieht endlich die Tür hinter sich zu.

»Dann setz dich«, sagt Henner. »Nimm dir 'ne Cola. Oder 'n Bier. Oder was Hartes. Alles da.«

Martin nimmt sich eine Coladose aus der angebrochenen Palette, setzt sich auf das alte Sofa und sieht sich um. Vor ihm und neben ihm Regale mit knallbunten Kassetten, ein großer Fernsehapparat mit Videogerät, ein runder, halbhoher Tisch vor Sofa und Sessel, links eine Art Verkaufstresen, an der Wand dahinter ein Poster FRIEDHOF DER KUSCHELTIERE.

»Schöne Grüße von Petra«, sagt Martin.

»Is' sie nicht mit?«, fragt Henner.

»Nein.«

»Wo steckst du denn hier überhaupt?«

»Campingplatz am Erddamm. Seit gestern.«

»Allein?«

Martin schüttelt den Kopf.

Von Nele will er ihm jetzt noch nichts erzählen. Keine Ahnung, warum.

»Haste Glück gehabt, dass du mich noch erwischst«, sagt Henner. »Morgen bin ich weg.«

»Weg wohin?«

»Mallorca.«

»Allein?«

»Mit 'n paar Kumpels. Neustrelitz, weißte. Bin ich jetzt öfter mal. Neun Leute, die Truppe.«

»Gesche auch mit?«

»Geh mir weg mit Gesche. Muss dauernd nur babysitten zu Hause. Na ja, ihre beiden Alten arbeitslos. Jammern mächtig.«

Es entsteht eine Pause, Martin schlürft seine Cola, und der Metallgeschmack der Dose ist ihm unangenehm auf der Zunge. Aber nicht mal nach einem Strohhalm will er Henner jetzt fragen.

»Machen denn deine Eltern?«, fragt er stattdessen.

»Repräsentanten«, sagt Henner gewichtig. »Kühlschränke, Geschirrspüler, so 'n Kram. Reisen in der Gegend rum.«

»Und du?«, fragt Martin. »Was machst du denn so?«

Eine Weile sieht Henner ihn an, und Martin ist, als ob eine Spur von Traurigkeit in seinen Augen wäre. Dann aber verzieht er das Gesicht, zeigt mit weit ausladender Armbewegung um sich und sagt: »Siehste doch. Geschäfte. Muss den Laden hier schmeißen, wenn meine Alten nicht da sind die Woche.«

»Haste viel mit zu tun?«

»Na, geht so«, sagt Henner. Und dann, breit grinsend: »Wichtig ist, dass man die Sache in Griff kriegt. Muss mir das alles erst selber mal ansehen. Damit ich weiß, was ich der Jugend in die Hand geben kann. Und was vielleicht noch 'n bisschen extra was kostet.«

Henners Lachen ist anders als früher. Nichts kann Martin anfangen mit diesem Lachen. Sein Freund Henner, ein kleiner, mieser Erpresser. Martin lässt seinen Blick über die

ausgestellten Kassetten gleiten – GESICHTER DES TODES, ARMEE DER FINSTERNIS, SCHULMÄDCHENREPORT, CHUCKY, DIE MÖRDERPUPPE – und sagt: »Findest du das gut?«
Offenbar missversteht Henner die Frage als einen Angriff auf die Ehre seiner Videokassetten. Denkt, Martin ist in Thüringen zum Moralapostel geworden. »Wieso?«, sagt Henner. »Wir haben jetzt Freiheit. Da ist alles erlaubt.«
Du Blödmann, denkt Martin.
Aber er sagt nichts. Wieso hat er vergessen, was für ein Großmaul Henner schon immer war? Früher hätte er sich jetzt mit ihm geschlagen. Drei-, viermal ist das damals passiert. Früher ist eben alles einfach gewesen. Ein blaues Auge, ein paar Schrammen, aber am nächsten Tag haben sie sich wieder getroffen, und alles ist vergessen gewesen. Jetzt sitzt er hier in diesem Bunker, hört sich Henners aufgeblasenes Gequatsche an, ohne sich zu wehren. Henner fragt nicht, wie es ihm geht oder Petra, und Martin wünscht sich nur noch weg.
Um halb zwölf gibt er sich endlich einen Ruck, steht auf, sieht zur Uhr, sagt: »Mach's gut denn.« Und: »Viel Spaß auf Mallorca.« Dann geht er einfach, hebt noch einmal die Hand, zieht die Tür hinter sich zu und lässt ihn allein. Henner Asmuss, den Herrn über Horror, Sex und Crime. Henner Asmuss, der einmal sein bester Freund war.
Martin rennt aus dem Haus, bis zur Kirche im Laufschritt, hofft, dass er keinem begegnet, hofft, dass er nicht reden muss. Besser, Henner wär schon gestern gefahren, denkt Martin. Besser, er wär gar nicht da gewesen. Vielleicht

hätte er dann immer noch geglaubt, Henner wäre der Alte. Und die Zeit wäre stehen geblieben seit fünf Jahren.
Komisch, als er auf dem Campingplatz ihr Zelt sieht und Nele davor, hat er plötzlich ein Gefühl, als käme er nach Haus.

11

Nele wundert sich. Seit Sonntag hat sich Martin verändert. Erst hat sie gedacht, er spielt nur Theater, um seine Enttäuschung vor ihr zu verbergen. Aber es ist noch ganz anders.

Am Montagnachmittag sind sie auf dem Platz vor der Kirche an einer Gruppe Jugendlicher vorbeigegangen. Ein dunkler, gut aussehender Typ mit schwarzen Haaren und schwarzem Lederzeug saß auf einem Mofa, drei Mädchen und vier Jungen um ihn herum.

»Kenn ich alle nicht«, hatte Martin im Vorbeigehen gesagt. Er wusste es jetzt, und es tat ihm weh: Das Dorf war nicht mehr sein Dorf. Fünf Jahre waren eine zu lange Zeit.

Zehn Schritte ungefähr waren sie schon weiter, da heulte hinter ihnen der Motor auf, und dann hielt der Schwarzlederne mit quietschenden Bremsen dicht neben Martin.

»Das gibt's ja wohl nicht«, sagte der Schwarze. »Martin. Hast du Kartoffeln auf den Augen?«

Martin sah ihn an, dann erkannte er ihn. Ein Knuffer auf die Lederkluft. »Mensch, Rüdi, hast du dich verkleidet!«

Grinsen, Lachen, und dann haben sie zehn Minuten zusammengestanden und haben geredet. Schließlich hat Rüdiger Brinkmann, der schwarze Mofaritter, sie zu seinem Geburtstag am Mittwochabend eingeladen.
Sie kamen auf den Zeltplatz zurück, und Martin war fast übermütig. Zeitung lesend saß der Campingplatzwärter vor seiner Holzbude, und als sie auf seiner Höhe waren, blieb Martin stehen und sagte: »Ich glaube, ich kenne Sie doch, Herr Pagel.«
Der Mann im blauen Trainingsanzug lächelte gelassen und nickte. »Ja, ja«, sagte er. »Martin Klinger, 5 b. Kein schlechter Schüler. Aber achtzehn noch lange nicht.«
Nele sah, wie Martin das Blut in die Ohren schoss. Er schluckte. Dann sagte er trotzig: »Na und?«
Mit Resignation, aber doch mit deutlichem Vorwurf in der Stimme, sagte der Mann: »Recht so, mein Junge. Wir haben eine neue Zeit. Da braucht sich keiner mehr an irgendetwas zu halten. Drunter und drüber geht alles.«
Nele hätte Lust gehabt, mit dem Mann zu diskutieren. Aber Martin war kopfschüttelnd und ohne ein Wort weitergegangen. Den ganzen Abend hatte er darüber gegrübelt, ob sein ehemaliger Lehrer nicht vielleicht doch Recht haben könnte.
Am Dienstag aber war er plötzlich voller Unternehmungslust gewesen.
»Du, wo unser Piratenhafen war, das muss ich dir zeigen.«
»Und zum Dichterhaus sollten wir schon mal. Kommen die Leute von weit her deswegen.«
»Der Blick vom Reiherberg – einmalig, sage ich dir.«

»Und die Baumriesen – hast du bestimmt noch nicht gesehen, so was.«

»Ach, und ob es den Fährmann noch gibt, müssen wir unbedingt nachsehen. Fähre mit Handbetrieb, du. Der Mann, ein Original. Und wenn wir schon da sind, gehen wir auch mal zum Teufelsstein hoch. Hat der Teufel einem nachgeworfen, der ihm seine Seele nicht geben wollte.«

Am Dienstag und am Mittwoch waren sie rumgefahren. Ein Wetter wie auf Mallorca. Er hatte ihr die Gegend gezeigt, die Wälder, die Hügel, die Seen, die Plätze seiner Kinderspiele, verwachsene Baumriesen, Erdaufwürfe, morsche Bretterverschläge, zu denen es Geschichten gab, wilde Piratengeschichten, die er lächelnd und traurig erzählte, und manchmal standen sie voreinander, sahen sich an, als wären sie überrascht, sich hier in dieser Einsamkeit zu begegnen.

Und heute Abend dann die Geburtstagsfeier von Rüdiger Brinkmann, im Jugendraum hinter der Kirche. Im Supermarkt in der Kleinstadt hatten sie ein Geschenk für ihn gekauft. Putzlappen und Polierzeug für sein Mofa. Zehn Leute waren gekommen, die Jugendlichen im Dorf, die in den Ferien nicht weggefahren waren.

»Dass du nach fünf Jahren ... und der weite Weg ... und extra zu meiner Fete ... also, finde ich Spitze!« Rüdiger Brinkmann gab sich beeindruckt.

Die Art, sich anzuflachsen, war nicht viel anders als im Jugendraum in Neles Dorf. Sie hörten Dancefloor, aber keiner tanzte, sie tranken ziemlich schnell und ziemlich viel, Bier und Cola und Bacardi, rauchten und redeten.

Aber Nele hatte von Anfang bis zum Ende das Gefühl gehabt, dass sie hier nicht mal die Hälfte mitkriegte. Sie wusste nicht, warum die schüchterne Gesche mit dem kleinen Kurzgeschorenen, den sie seltsamerweise Wolle nannten, unentwegt tuschelte und dabei immer wieder zu Martin und ihr herübersah. Keine Ahnung auch, worüber die anderen sprachen. Was sie trotz der lauten Musik verstanden hatte, konnte sie nicht einordnen. Es ging um Leute, die sie nicht kannte, um eine Zelt-Disko, die demnächst wieder im Nachbardorf stattfinden sollte, um einen Mann, der sich aufgehängt hatte. Sie waren aufeinander eingespielt, verständigten sich mit Andeutungen und knappen Gesten, und Nele hatte sich darüber geärgert, als Anhängsel geduldet, aber ausgeschlossen zu sein. Vielleicht war Martin sich so vorgekommen am Anfang ihrer Radtour.

Und irgendwann hatte Nele dann auch noch allein dagesessen, Martin war zu Gesche, Wolle und Rüdiger hinübergegangen und kurz darauf mit ihnen ins Gespräch vertieft. Kein Wort hatte Nele verstehen können, aber klar, worüber sie sprachen. Eine Stunde lang hatte es so ausgesehen, als würde Martin nun doch ganz in die Vergangenheit verschwinden.

Ganz unverhofft war er doch wieder neben ihr aufgetaucht und hatte ihr ins Ohr geflüstert: »Du, Nele. Mir ist da was eingefallen. Das müssen wir unbedingt noch machen, noch heute Abend.«

Kurz nach eins dann waren die Ersten gegangen, mit ihnen Nele und Martin.

»Warte mal eben.« Aus einer Schublade hatte Rüdiger

Brinkmann ein postkartengroßes Foto gekramt. »Hab hier noch was. Für Petra und dich.«
Auf dem Bild war eine Gruppe Zehn-, Elfjähriger, darunter Petra, Martin und Rüdiger mit roten Halstüchern, weißen Hemden. Während Martin noch versuchte, im Dunkeln irgendwas auf dem Foto zu erkennen, hatte Rüdiger Brinkmann, halb spöttisch, halb wehmütig angefangen zu singen: »Spaniens Himmel breitet seine Sterne über unsren Schützengräben aus ...« Und dann: »Das letzte Bild von unserer glorreichen Vergangenheit. Maifeier '88. Thälmann-Pioniere, voran. Halt es in Ehren, Martin. Und grüß Petra.«
Nele wundert sich. Trotz allen Abschieds ist Martin sonderbar fröhlich, fast übermütig. Bevor sie den Campingplatz erreichen, biegt er links ab, zum Ufer des Sees hinunter, und zieht sie an der Hand hinter sich her. Unter den überhängenden Zweigen liegt ein Ruderboot, an einem Baumstamm vertäut.
»Eine Nachtfahrt noch, ja?«, sagt Martin und legt ihr die Hand auf die Schulter.
Der alte Kahn knarrt und ächzt, aber dann schiebt er sich doch willig auf die spiegelglatte Fläche des Sees hinaus. Mond- und Sternenlicht lassen die Ufer links und rechts erahnen, Käuzchenrufe den Wald. Martin sitzt Nele gegenüber, taucht die Ruderblätter fast lautlos ins Wasser, schiebt den Kahn mit jedem Zug ein Stück weiter in die geheimnisvolle Nachtwelt hinein. Lange sagt keiner ein Wort, als wäre es ungehörig, die Stille zu stören.
Zwischen ihnen auf dem Boden des Kahns liegt das Foto mit den Thälmann-Pionieren. Nele nimmt es auf, als nach

einem unversehens hastigen Ruderschlag Wasser ins Boot spritzt.
Hinter dem Fährhaus, das geduckt und dunkel zwischen den Bäumen auftaucht und verschwindet, legt Martin die Ruder an und lässt den Kahn treiben. Nele streift Schuhe und Socken ab und hängt die Füße über die Bordkante ins Wasser.
Martin lehnt sich zurück und beobachtet sie eine Weile. Dann zieht auch er Schuhe und Socken aus, krempelt die Hosenbeine hoch und schwingt ein Bein über Bord. Irgendwann wechseln sie die Seiten, und irgendwann berühren sich zufällig ihre nackten Füße auf den Planken im Kahn, und sie machen ein Spiel daraus. Mein Fuß auf deinem Fuß, mein großer Zeh gegen deinen. Dann beugen sie sich vor, Ellbogen auf den Knien, Kopf in der Hand, die Gesichter nah voreinander.
»Bin froh, dass ich hier gewesen bin«, sagt Martin.
»Dachte, das wär alles ganz traurig für dich.«
»Ja.«
»Und jetzt nicht?«
»Nicht mehr so«, sagt Martin.
»Und warum?«
Er schweigt einen Augenblick. Dann sagt er: »Man muss sich entscheiden, weißt du. Zu wem man gehören will. Und zu wem nicht. Was man machen will mit seinem Leben. Und was nicht.«

Nele nickt und verstärkt den Druck ihres Zehs gegen seinen.
»Ich bin so froh, dass ich hier gewesen bin«, sagt Martin

wieder. »Und dass du mitgekommen bist. Wegen dir nämlich ist das gut hier gewesen.«

»Wieso?«, sagt Nele. »Ich hab doch gar nichts gemacht.«

»Eben deshalb«, sagt Martin.

Nele lächelt.

Sie gewinnt den Kampf ihrer Zehen. Er gibt auf und lässt ihr den Triumph, ihren Fuß auf seinen zu stellen.

»Alle hier haben sich verändert«, sagt Martin. »Am meisten Henner. Das hätte ich nicht gedacht. Ich habe geglaubt, er wäre mein Freund für immer. Ein Fiesling ist er. Vielleicht war er das sogar schon früher. Und ich habe es jetzt erst gemerkt.«

Nele schweigt. Sie kennt Henner nicht. Was soll sie dazu sagen?

»Weißt du, was ich denke?«, sagt Martin. Nele schüttelt den Kopf.

»Jeder muss seine Grenze selber ziehen. Seine Mauer bauen.«

»Hm«, sagt Nele. »Gut wär nur, wenn man immer wüsste, wann man aufmacht und wann zu.«

12

Dienstag am Telefon hatte ihre Stimme erst mal ganz gut geklungen. So, als könne man wieder mit ihr reden. Die Zeit im Krankenhaus in Ueckermünde hatte ihr anscheinend gut getan. »Da haben sie meine Seele verpflastert.« Selten, dass sie so über sich sprechen konnte.

Auch dass er ein Mädchen mitbringen würde, hatte sie gut aufgenommen. Sie hatte sogar eine Menge wissen wollen, und ihre Neugier hatte ihre Stimme lebendig gemacht. Erst als er ihr gesagt hatte, dass Nele aus dem Westen ist, hatte sie ihr Interesse plötzlich zurückgezogen, war einsilbig geworden, und statt Wissbegierde und Freude war nur noch kühle Gleichgültigkeit zu hören gewesen.

Die resolute Tante Vera hatte ihr dann den Hörer aus der Hand genommen und mit ihrer Posaunenstimme verkündet: »Deine Mutter freut sich. Und ich mich auch. Donnerstagnachmittag, ja klar. Einmal über Nacht? Wird schon gehen, na sicher. Baut euer Zelt im Flur auf, von mir aus.«

Kurz vor Neubrandenburg machen sie noch einmal Rast im

Wald. Sie sitzen auf einer gefällten Buche, teilen das Baguette aus Möllenbeck, dazu den letzten, krumm getrockneten Appenzeller, Tomaten und Orangensaft.
Nele gähnt.
»Müde?«, fragt Martin.
Den Sonnenaufgang haben sie unbedingt auf dem See miterleben wollen. Dafür haben sie dann den ganzen Vormittag im Zelt verschlafen.
Nele gähnt ein zweites Mal und schüttelt den Kopf.
»Hoffentlich geht's meiner Mutter einigermaßen gut«, sagt Martin. »Kann sein, sie ist erst einmal ein bisschen komisch zu dir.«
»Wieso zu mir?«
»Sie hat was gegen alles, was aus dem Westen kommt.«
Nele sieht ihn stirnrunzelnd an.
»Ich wollte dir das nur vorher sagen. Wenn sie ihre Depressionen hat, da weiß man nie.«
»Meinst du, das ist wegen deinem Vater? Oder wegen der Wende?«
»Beides ganz sicher. Ich glaube, sie stellt sich oft vor, ihr Leben bisher, das war überhaupt nichts. Und dann wieder denkt sie, alles, was jetzt ist, alles Westliche eben, ist nichts. Nur Chaos.«
»Und meinst du, die Ärzte können ihr helfen?«
»Manchmal ja. Aber es kommt immer wieder.«
»Dann muss sie ins Krankenhaus?«
»Krankenhaus eigentlich nur, damit nichts passiert.«
»Du meinst ...?«
»Zweimal hat sie's probiert. Mit Tabletten.«

Martin sieht die Falten auf Neles Stirn und fürchtet, ihr nun doch zu viel Angst gemacht zu haben.
»In letzter Zeit war's aber schon besser«, sagt er. »Meistens ist sie ganz normal. Versucht auch schon wieder, was zu arbeiten. Stundenweise in einer Bibliothek.«
Je näher sie dann Neubrandenburg kommen, umso heftiger meldet sich Zweifel in Martin. Vielleicht war es doch nicht richtig, mit Nele hierher zu fahren. Wenn es ganz schlimm kommt, denkt er, ist seine Mutter im Stande, alles kaputtzumachen, was zwischen Nele und ihm ist.
Dann liegt die Stadt im Talkessel vor ihnen.
Nele steigt vom Rad und streicht sich das Haar aus der Stirn. »Mensch«, sagt sie. »Wie Klein-Manhattan.«
Die Plattenbauten an den Hängen rings um den Stadtkern beherrschen das Bild. Viel Grün dazwischen, aber das Grau der eintönigen Wohnwaben kann es nicht verstecken.
»Ja«, sagt Martin. »Schön hässlich. Das haben wir gar nicht so gemerkt damals.«
»Kommt man sich da nicht vor wie 'ne Ameise?«
»Die Innenstadt ist ganz schön«, sagt Martin. »Vier berühmte alte Stadttore, Wiekhäuser, Tollensesee, wirst sehen.«
In der Stadt dann überall Radwege, das findet auch Nele gut. Aber als sie vor dem Plattenblock stehen, in dem, Nummer 15 f, Tante Vera im siebten Stock wohnt, sieht Martin, wie Neles Augen über das Meer der immer gleichen Balkons und Fenster irren, wie sie die Schultern zusammenzieht, als hätte sie tatsächlich vor, immer kleiner, vielleicht zur Ameise zu werden.

Martin lehnt sein Fahrrad an einen Laternenpfahl, geht zu Nele hinüber, nimmt sie in die Arme und zieht sie zu sich her. Sie wird wieder größer, stößt mit dem Kopf gegen sein Ohr, schlingt den Arm um seinen Rücken und lehnt sich an ihn. So stehen sie eine Weile, lächeln, verlegen irgendwie, wie in heimlicher Absprache, den Gang ins Haus noch so lange wie möglich hinauszuzögern.
Endlich nehmen sie doch das Gepäck von den Rädern, schleppen es zum Eingang, klingeln.
»Martin ... bist du endlich da?« Tante Veras Stimme in der Gegensprechanlage.
»Ja. Wir sind da, Tante Vera!«
»Gut, gut«, meldet sich die Stimme wieder. »Bringt die Räder gleich in den Keller. Du weißt ja, wo der Schlüssel liegt. Ach so, der Aufzug streikt mal wieder. Ihr müsst zu Fuß.«
Als sie schließlich mit dem schweren Gepäck vor der Wohnungstür im siebten Stock stehen, sind sie beide aus der Puste. Bevor sie klingeln können, wird die Tür geöffnet, und da steht Tante Vera: blond, strahlend, mit kräftigen Armen, Tante Vera, die fröhliche Junggesellin, Tante Vera, die Frau von der Post. Sie breitet die Arme aus, drückt Martin an sich, dann streckt sie Nele die Hand hin: »Herzlich willkommen! Nun aber rein mit euch, Kinder!«
Sie stellen den schmalen Flur voll mit dem Zelt, den Rucksäcken, Luftmatratzen und Sporttaschen, und Martin sieht in die Küche, ins Wohnzimmer, aber nichts.
»Wo ist Mama?«, fragt er.
Tante Vera streckt sich, als wolle sie militärische Haltung einnehmen, dann schleudert sie einen komisch-vorwurfs-

vollen Blick gegen die geschlossene Tür zum Zimmer seiner Mutter und sagt so laut, dass es auch hinter der Tür verstanden werden kann: »Die Dame fühlt sich plötzlich unpässlich. Die Dame möchte nicht gestört werden. Da werden wir uns allein vergnügen müssen heute.«

Martin geht auf die Tür zu, aber Tante Vera hält ihn am Arm fest. »Nein, mein Junge«, sagt sie. »Jetzt wird erst Kaffee getrunken. Spät genug ist es sowieso. Wer nicht kommt, muss eben wegbleiben.« Und leise, nur für Martin: »Das wär ganz falsch jetzt, Junge. Sie muss das kapieren, dass sie uns nicht ewig erpressen kann.«

Beim Kaffeetrinken – Nusshörnchen und Baumkuchen vom Bäcker – erfahren sie das Neueste von der Post. Im Eifer des Gesprächs redet Tante Vera immer noch von Kollektiv und Brigade. Seit zwanzig Jahren ist sie bei der Post und keine Wende hat sie umwerfen können. »Briefmarke ist Briefmarke«, sagt Tante Vera. »Du musst sie anfeuchten. Ob sozialistisch oder nicht.«

Gut, dass es Tante Vera gibt, denkt Martin. Zupackend und praktisch. Ganz anders als seine Mutter. Seltsam, wie verschieden Geschwister sein können. Auch Petra und er. Auch Nele und dieser Henning.

Tante Veras Robustheit beeindruckt Nele. Martin sieht es an ihrem Lächeln, an der Art, wie sie zuhört und fragt. Trotzdem, dass seine Mutter sich einfach verweigert, das kann man mit nichts überlachen.

Um halb sechs endlich steht Martin auf. »Ich geh jetzt mal hin zu ihr«, sagt er entschlossen.

Tante Vera zieht wortlos die Schultern hoch.

Er steht vor der blanken, abweisenden Tür und atmet tief durch. Dann klopft er an. Kein Ton kommt von innen. Vorsichtig drückt er die Klinke herunter.
Halb abgewandt sitzt seine Mutter in ihrem Korbsessel vor dem Fenster. Auf dem kleinen runden Tisch ein Stapel Bücher. Langsam dreht sie den Kopf. »Mach die Tür zu«, sagt sie leise.
»Mama?« Mit kleinen Schritten geht Martin auf sie zu. »Willst du nicht kommen?«
Kaum merklich schüttelt sie den Kopf.
Martin setzt sich auf den Hocker neben dem Korbtisch. Er sieht sie an. Ihre feingliedrige, zerbrechliche Gestalt. Die Hände zwischen den Knien ins Taschentuch gepresst. Ihr schmales Gesicht. Das stumpf gewordene, glatte, dunkelblonde Haar. Die Augen müde und erschöpft. Er spürt den Strudel ihrer Traurigkeit und ihrer Verzweiflung und nimmt sich vor, sich diesmal nicht hinabziehen zu lassen.
»Wir sind von Bremen aus rüber«, sagt Martin. »Nele und ich. Durch die Lüneburger Heide und ganz durch Mecklenburg.«
Sie sagt nichts, sieht nur vor sich hin, als ginge sie das alles nichts an.
»Und Petra ist nach Holland«, sagt Martin. »Mit den anderen aus Neles Klasse.«
Ein Blick, als müsse sie prüfen, ob sie ihn noch kennt. Er weiß, was sie denkt. Alle laufen davon. Keinen kann sie bei sich halten. Und sie waren doch einmal eine Familie. Wie man sich täuschen kann, selbst über die Menschen, die einem am nächsten sind.

»Komm«, sagt Martin. »Komm doch raus. Wir können spazieren gehen. Im Stadtpark. Am See. Nele freut sich bestimmt, wenn sie dich …«
»Nein«, sagt seine Mutter.
»Du wirst sehen, Nele ist …«
»Martin, hör auf!«, sagt seine Mutter.
Er schweigt, starrt vor sich hin, sieht die Bücher auf ihrem Tisch, ist aber unfähig, Titelschrift oder Bilder zu erkennen. Die Bücher, denkt Martin, die Bücher sind das Einzige, was sie jetzt noch hat. Eine Welt nur in der Vorstellung. Allein sein mit den Gedanken eines anderen. Kein Dritter, der reinredet.
»Bücherleser sind Verlierer«, hat sein Vater gesagt. »So viel Zeit kann man sich heutzutage nicht nehmen. Wer mithalten will, muss schnell sein.«
Martin steht auf der Seite der Mutter, und gegen die Einteilung der Welt in Gewinner und Verlierer sträubt sich alles in ihm. Aber er will, dass seine Mutter endlich wahrnimmt, dass er für sich selber ein Leben hat.
»Was hast du nur gegen Nele?«, fragt er.
Sie zögert lange mit einer Antwort. Dann sagt sie flüsternd, fast tonlos: »Ich habe euch gesehen. Vor dem Haus.«
»Ach so.« Martin ärgert sich, dass er rot wird. »Na und?«
»Wie lange kennst du dieses Mädchen?«
Martin überlegt.
Eine Ewigkeit, denkt er. Aber schulterzuckend sagt er: »Drei Wochen jetzt.«
»Und natürlich habt ihr auch schon miteinander geschlafen.« Wie nebenbei sagt sie das, und doch klingt es so, als

wäre für sie mit diesem Satz alles bewiesen. Ihre Enttäuschung. Ihre Traurigkeit. Ihre Verzweiflung.
Mit offenem Mund starrt er sie an. Puterrot sicher. Was geht dich das an?, denkt er und schluckt es hinunter.
Aber er springt auf. »Du kennst Nele doch überhaupt nicht!«, schreit es aus ihm heraus. »Du willst sie doch nicht einmal sehen! Du willst doch nur, dass alles so ... so hoffnungslos ist! Damit du sagen kannst, du hast Recht!«
Eine Sekunde lang kann sie den Schreck in ihren Augen nicht verbergen, dann flüchtet sie sich in Spott: »So? Aha. Und du willst mir natürlich erzählen, dass deine Nele ganz anders ist, ja?«
»Ja!«, schreit Martin. »Jedenfalls ganz anders, als du es dir denkst!«
Er dreht sich um und geht. Es flimmert vor seinen Augen. In ihm ist nicht Platz für einen einzigen klaren Gedanken.
»Martin?«
Ihre Stimme hinter ihm. Ängstlich. Wie bittend.
»Martin, bleib.«
Er öffnet die Tür. Als er sich umdreht, sieht er sie wie erstarrt mitten im Raum stehen. Dann zieht er die Tür zu, nicht fest, aber doch mit einem entschlossenen Ruck.
Auf dem Flur stehen Tante Vera und Nele. In der hellhörigen Wohnung haben sie sicher jedes Wort verstanden.
»Das hast du gut gemacht, Junge«, sagt Tante Vera und tätschelt ihm die Schulter. »Man darf ihr nicht immer nur nachgeben. Sie muss das langsam mal lernen. Die Welt geht weiter, ob sie will oder nicht.«
Martin ist schon nicht mehr sicher, ob es richtig war, dass

er gegangen ist. Und hinter der Tür zum Zimmer seiner Mutter hören sie Schluchzen.

Sie sehen sich an.

Tante Vera schüttelt unwillig den Kopf. Dann marschiert sie auf die Tür zu, hämmert mit der Faust dagegen und ruft: »Ilse, nun reiß dich mal zusammen! Komm endlich raus! Es ist noch Kaffee da. Und Kuchen.«

Als Antwort wird der Schlüssel im Schloss umgedreht. Kopfschüttelnd und voller Empörung stapft Tante Vera ins Wohnzimmer und deckt den Kaffeetisch ab.

Martin fühlt sich wie gelähmt. Die Hände in den Taschen, schlurft er auf den Balkon hinaus, starrt auf den Nachbarblock, merkt kaum, dass Nele neben ihm steht.

Motorengeräusche, Benzingestank in der warmen Sommerabendluft, Kinderstimmen, Hupen, Leute kommen von den in langen Reihen geparkten Autos. Unter dem Klettergerüst wirft ein Kind einen Luftballon hoch. Auf dem platt getretenen Rasen lässt ein alter Mann seinen langhaarigen schwarzen Hund Stöckchen holen. Eine Frau trägt schwer an zwei Einkaufstaschen.

»Woher weißt du eigentlich, wie ich bin?«, fragt Nele schließlich.

Er zieht die Schultern hoch. »Hab ich doch gar nicht gesagt.«

»Doch, hast du«, beharrt Nele.

Martin schüttelt den Kopf. »Ich hab nur gesagt, wie du nicht bist.«

Sie lächelt, legt ihm den Arm auf die Schulter. »Und das weißt du?«, fragt Nele.

Martin nickt. »Bisschen. Glaube ich.«
Der schwarze Hund läuft nicht nach dem Stock. Irgendwo ist ein Geruch, der ihn mehr interessiert. Ein Motorradritter bockt seine Maschine auf. Sein Kumpel wirft ihm eine Bierflasche zu. Das Kind tritt den Luftballon mit den Füßen. Der alte Mann ruft nach dem Hund.
»Ich mag dich«, flüstert Nele. Sie beugt sich zu ihm und küsst ihn auf die Wange.
Den ganzen Abend aber wird er das beklemmende Gefühl nicht los. Nach dem Essen holt Tante Vera Wein und Saft und Knabberzeug, und sie reden bis halb zwölf. Natürlich über seine Mutter. »Sie ist noch ganz in der alten Zeit«, klagt Tante Vera. »Allem, was neu ist, misstraut sie. Allem Westlichen. Sie sagt: ›Die westliche Gesellschaft funktioniert nach Sucht und Verführung. Alle sind nur Marionetten. Sklaven. Sklaven des Fleisches. Des Geldes. Des Alkohols. Der Drogen.‹ Solche Sprüche eben. Das haben wir doch lange genug gehört. Das hängt einem doch lang zu den Ohren raus.«
»Ich weiß nicht«, sagt Nele. »So falsch ist das vielleicht gar nicht.«
»Mädchen«, sagt Tante Vera mit gespielter Entrüstung. »Bist du etwa 'ne rote Socke?«
Was sie auch reden, richtig fröhliche Stimmung kommt nicht auf. Beim kleinsten Geräusch horchen sie auf den Flur hinaus. Aber die Tür zum Zimmer seiner Mutter öffnet sich den ganzen Abend lang nicht.
Tante Vera verabschiedet sich. Morgen früh um sechs muss sie aus dem Haus. »Fahrt vorsichtig, hört ihr? Dieser ver-

rückte Verkehr. Und grüß Petra. Und die Großeltern. In der Küche weißt du ja Bescheid, Martin. Und Brötchen holst du vom Bäcker.«

Nele und Martin rücken den Wohnzimmertisch vor das Klavier und pumpen die Luftmatratzen auf. Mit den Köpfen liegen sie vor dem Bücherregal. Fast alle Bücher darin gehören seiner Mutter. Als Nele heute Abend neugierig davor stand, hat Tante Vera wie triumphierend verkündet, ihr reichten die beiden gelben, das örtliche Telefonbuch und das mit den amtlichen Postleitzahlen. Mehr Bücher würden die Menschen nur verwirren. Tante Vera ist mit Haut und Haar bei der Post.

Irgendwann in der Nacht fährt Martin aus einem flachen Schlaf hoch. Auf dem Flur sind Schritte. Kein Zweifel. Leise, tappende Schritte. Und jetzt ein anderes, ein klapperndes Geräusch. Als ob zwei Zeltstangen leicht aufeinander schlagen. Und Atmen. Kurzes, hastiges Atmen.

Martin windet sich aus dem Schlafsack. Vorsichtig öffnet er die Wohnzimmertür. Wie ein Schatten huscht seine Mutter über den Flur und verschwindet in ihrem Zimmer.

Martin springt hinter ihr her. Aber als er vor ihrer Tür steht, wird sie von innen verschlossen.

Seine Schultern sinken ihm hinunter. Er klopft an die Tür. »Mama«, flüstert Martin. »Mach doch auf.«

Keine Antwort von innen. Kein Geräusch. Nur die kalte, abweisende Tür.

Zweimal versucht er es noch, dann gibt er auf. Er knipst das Licht auf dem Flur an, geht ins Wohnzimmer zurück und lässt die Tür einen Spalt weit offen.

Nele, auf den Ellbogen gestützt, sieht ihn fragend an. »Deine Mutter?«
»Ja«, sagt Martin und rutscht in den Schlafsack zurück. »Keine Ahnung, was sie wollte.«
Sie streckt den Arm aus und streichelt, fast ohne ihn zu berühren, seine Schulter, seinen Hals, sein Ohr. Er dreht sich zu ihr, legt ihr die Hand in den Nacken und spielt mit ihrem Haar.
Aber die Unruhe vergeht nicht. Vielleicht sollte er Tante Vera sagen, dass sie ihr den Schlüssel wegnimmt. Was ist, wenn ... Zur Not müsste man die Tür aufbrechen. Mit dem dicken Hammer aus dem Besenschrank? Er versucht, sich das vorzustellen.
Aber man kann sie doch nicht wie ein kleines Kind behandeln. Vielleicht würde dann alles noch schlimmer? Was man auch tut, es könnte falsch sein.
Angestrengt hört er auf jedes Geräusch. Nach einer Weile ist Nele, die Hand um seinen Hals, wieder eingeschlafen.
Hätte er am Nachmittag besser doch nicht weggehen sollen von seiner Mutter? Was wollte sie jetzt auf dem Flur? Tante Vera ist auch nicht allwissend.
Das Licht fällt durch den Türspalt quer über ihr Luftmatratzenlager, knapp vorbei an Neles Schlafgesicht. Als sie noch Kinder waren, Petra und er, musste ihre Mutter nach dem Vorlesen immer das Licht im Flur anlassen und die Tür einen Spalt weit offen. Die Welt war so groß damals und so unbekannt, so vieles gab es, wovor man hätte Angst haben können im Dunkeln. Alles war gut, wenn das Licht im Flur brannte und wenn er die Mutter in der Nähe wusste.

Komisch, denkt er. Und jetzt habe ich das Licht angemacht. Weil meine Mutter Angst hat. Ja. Weil meine Mutter Angst hat. Aber wovor bloß?

Irgendwann schläft er dann doch ein und hat einen wirren Traum. Ein großer schwarzer Hund kommt darin vor, der Bücher aus den Regalen reißt, sie in ihrem alten Kinderzimmer zu Haus auf dem Boden zerstreut, und ein fremder Junge – Wölfi oder Mark oder Henner – tritt darauf herum. Das meiste hat er vergessen, als er am Morgen gegen halb acht aufwacht, und er ist unsicher, ob der große schwarze Schatten von der Tür her Wirklichkeit war oder Traum.

Jemand hat auf dem Flur das Licht ausgemacht. Wahrscheinlich Tante Vera, als sie zur Arbeit gegangen ist. Er horcht auf Geräusche. Nur Autos von draußen, Mofaknattern. In der Wohnung ist alles still. Er muss sich noch einen plausiblen Grund ausdenken, damit seine Mutter wenigstens noch einmal die Tür aufmacht, bevor sie fahren. Einfach so weg, das könnte er nicht.

Als Martin den Kopf dreht, fällt Neles Hand auf seine Schulter, und sie wacht auf.

Sie blinzelt, orientiert sich im sonnenhellen Raum, dann sieht sie ihn fragend an. »Na?«

»Alles still«, sagt Martin.

Ein richtiges Bad zu benutzen, auch wenn es nur Tante Veras kleines, mit Schränken und Kram voll gestelltes ist, tut auch wieder ganz gut. Zum Teil ist es das Bad seiner Mutter. Ihre Duschhaube, ihr Morgenmantel an der Tür, ihr Massageband, ihre Cremetuben, ihr Handspiegel, ihr Parfüm. Fehlt nur noch das herbe Rasierwasser seines Va-

ters, seine Frisiercreme, die elektrische Zahnbürste, Petras Flasche mit Lavendelduftbad.
Nele klopft an die Tür, und er beeilt sich.
»Ich setz mal Wasser auf«, sagt Martin. »Und dann geh ich schnell Brötchen holen, ja?«
»Okay«, sagt Nele und verschwindet im Bad.
Als Martin an der Zimmertür seiner Mutter vorbeigeht, zieht sich etwas in seiner Kehle zusammen. Er will es sich nicht vorstellen, aber er muss es immer wieder: Seine Mutter hinter der Tür, versunken in ihre Verzweiflung, eingemauert in ihre Gewissheiten, weigert sich einfach, weiter am Leben teilzunehmen.
Und jetzt lässt er Nele mit ihr allein. Plötzlich erscheint ihm das wie etwas Bedrohliches.
Leise schleicht er sich aus der Wohnung, in der Hoffnung, seine Mutter hört es nicht und Nele duscht so lange, bis er wieder da ist.
Er läuft die Treppen hinunter, mit langen, eiligen Schritten dann den schnurgeraden Plattenweg entlang. Aber zum Bäcker ist es weit, und er muss anstehen. Fünfzehn Brötchen, egal, ob seine Mutter kommt oder nicht. Sie werden sie brauchen können für die Fahrt. Wenn sie nur schon wieder unterwegs wären. Darauf freut er sich. Unterwegs sein mit Nele. Drei Tage noch. Freitag, Samstag, Sonntag. Vielleicht schaffen sie das gar nicht. Montag ist für ihn schon wieder der erste Schultag. Unvorstellbar.
Auf dem Rückweg läuft er. Die große Papiertüte reißt ein, und er muss den Brötchenpack vor die Brust drücken. Diese verrückte Angst wird er nicht los.

Die Treppen hinauf in den siebten Stock. Zwei, drei Stufen immer auf einmal.
Jemand im Haus spielt Klavier. Seltsam, um diese Zeit. Bestimmt ist das verboten. Je höher er kommt, desto deutlicher hört er es. Und jetzt erkennt er die Melodie. Zusammengestockelt und stümperhaft zwar, aber kein Zweifel, es ist das alte Pionierlied, das Thälmann-Lied. Den Refrain weiß er noch: ›Thälmann und Thälmann vor allen! Deutschlands unsterblicher Sohn – Thälmann ist niemals gefallen, Stimme und Faust der Nation.‹
Auf dem letzten Treppenabschnitt ist er ganz sicher: Die Klaviertöne kommen aus Tante Veras Wohnung. Martin ist erleichtert und erschrocken zugleich. Wo Klavier gespielt wird, passiert selten was Schlimmes. War seiner Mutter vielleicht in einem Anfall ideologischer Verbohrtheit eingefallen, den ganzen hellhörigen Plattenblock mit ihrer Weltanschauung zu beglücken?
Martin schließt die Wohnungstür auf, rennt über den Flur. Als er im Wohnzimmer steht, kann er kaum glauben, was er sieht: Nele auf dem Klavierhocker, sein altes Pionierliederbuch, das er ihr gestern Abend gezeigt hat, aufgeschlagen vor sich – und hinter ihr steht seine Mutter, schlägt den Takt in die Luft, und mit ihrer Lehrerinnenstimme sagt sie: »Cis, Mädchen, cis, nicht c!«
Eine Weile starrt Martin sie ungläubig an. Die Papiertüte rutscht, ohne hinzusehen, fasst er nach.

Bei diesem Geräusch sieht seine Mutter zu ihm herüber. Ein Flackern in ihren Augen. Unsicherheit. Aber dann: »Ach Martin, bist du endlich da? Wir haben schon Hunger.«

Nele hört auf zu spielen und lächelt schräg wie Mona Lisa.
»Schön, dass du da bist, Mama«, sagt Martin.
»Was bleibt mir denn übrig?«, sagt seine Mutter leise. »Wenn diese junge Dame so miserabel Klavier spielt.«

13

Sie sind wieder unterwegs. Bis Neuruppin gestern, heute durch Brandenburg. Nicht überall gibt es Radwege, und meist fahren sie hintereinander. Wenn sie morgen zu Hause sein wollen, müssen sie mächtig in die Pedale treten. Aber gut, denkt Nele, dass sie die Zeit bis zuletzt ausgenutzt haben.

Immer wieder muss sie an seine Mutter denken. Seltsam, wie sie sich begegnet waren: Nele kam aus dem Bad, räumte im Wohnzimmer ihr Luftmatratzenlager auf, zog den Tisch vom Klavier weg, und auf dem Tisch lag das Pionierliederbuch, das Martin ihr am Abend vorher gezeigt hatte. Sie blätterte darin, ohne besondere Absicht eigentlich. Mann, war das schwülstig. »Heimatland, reck deine Glieder ...« Wahnsinn.

Das musste sie mal ausprobieren. Sie setzte sich ans Klavier und klimperte ein paar Takte. Drei Kreuze und punktiert, nicht einfach zu spielen, und mit dem bisschen, was sie konnte, sowieso nicht. Sie fing immer wieder von vorn an. Plötzlich spürte sie, dass sie beobachtet wurde. Sie blinzelte

zur Seite, und da stand sie. Mit verschränkten Armen gegen den Türrahmen gelehnt. Weiße Bluse, blauer Rock, schmales Gesicht mit Ringen unter den großen Augen. Alles schlicht und streng an ihr, pflichtbewusst.
Nele erschrak. Sie wünschte sich, Martin wäre mit seinen verdammten Brötchen zurück. Beklommen drehte sie sich langsam zu der Frau um. Der Klavierhocker quietschte.
»Hallo«, sagte Nele.
»Hallo«, darauf die Frau, ohne zu lächeln.
Unendlich lange Zeit, in der alles Mögliche passieren konnte, sahen sie einander an.
Dann war Nele einfach aufgestanden, war auf sie zugegangen und hatte ihr die Hand hingehalten.
»Du bist also Nele?«, sagte die Frau, und endlich war doch ein müdes Lächeln auf ihrem Gesicht.
»Ja.« Mehr zu sagen, fand Nele den Mut nicht.
»Spiel ruhig weiter. Selten genug, dass in diesem Haus mal jemand Klavier spielt. Aber es könnte schon ein wenig stimmiger sein.«
Brav setzte sich Nele wieder ans Klavier, und vor Aufregung spielte sie jetzt wahrscheinlich noch viel schlechter als vorher. Das hatte den Lehrerinnenehrgeiz von Martins Mutter offenbar herausgefordert. Sie hatte sich hinter Nele gestellt und Anweisungen gegeben.
Dann endlich war Martin gekommen.
Unglaublich, wie er sich freuen konnte. Als seine Mutter ins Bad gegangen war, hatte er Nele stürmisch an sich gezogen und auf die Stirn geküsst. »Mensch, hast du das toll gemacht!« Sie muss ihm das demnächst noch mal sagen.

Wahrscheinlich überschätzt er sie maßlos. Sie hatte doch überhaupt nichts gemacht.
Beim Frühstück in der Küche hätten sie sich dann beinahe wegen dem komischen Thälmann-Lied gestritten. »Ganz schön schmalzig«, sagte Nele. Das fand Martins Mutter nicht gut. Auf einmal hatte sie schmale Lippen und verdrehte die Augen.
»War eben damals so«, sagte Martin. Und zu seiner Mutter: »Nele kennt so was nicht.«
»Nele kennt vieles nicht«, sagte die Mutter. Aber dann doch wieder versöhnlich: »Sagen wir, es war da ein gewisses Pathos.«
Am Frühstückstisch beobachtete sie Nele genau, achtete auf jede ihrer Bewegungen, hörte überscharf auf jedes Wort von ihr, und Nele fiel ein, was Martin am Abend vorher gesagt hatte: »Ich glaube, sie hat Angst vor dir.«
Eine Zeit lang fühlte Nele sich sehr unbehaglich, geprüft, beurteilt, schutzlos den Lehrerinnenblicken ausgesetzt. Aber je länger sie dann redeten, über das Wetter, die Fahrt, über ganz belanglose Dinge, desto mehr hatte Nele den Eindruck, als ob sich Martins Mutter allmählich verwandelte. Am deutlichsten war das in ihren Augen zu sehen. Sie konnten warm und lebendig sein, und wenn sie lachte, war das jedes Mal ein bisschen, als würde sie Martin und Nele, am meisten aber sich selber erlösen.
Mittendrin stand sie plötzlich auf und sagte: »Ich ruf mal schnell die Frau Rupp an. Ich glaube, ich geh dann in die Bibliothek. Wenn ihr weg seid, ist die Wohnung noch leerer.«
Beim Abschied bemühte sie sich wieder sehr, Haltung zu

bewahren. Ein paar Mal umarmte sie Martin, gab ihm alle möglichen Anweisungen, und Nele streckte sie die Hand hin. Aber Nele umarmte sie einfach. Wäre ja noch schöner, wenn Martins Mutter Angst vor ihr hätte. Es wäre überhaupt so ziemlich das Schlimmste für Nele, wenn sie wüsste, dass irgendjemand Angst vor ihr hat.

Überrascht zuckte Martins Mutter zurück, dann erwiderte sie die Umarmung. Sie fasste Nele an den Schultern, schob sie auf Armlänge von sich, ein letzter, prüfender Blick, dann die Abschlussbenotung: »Na gut, Mädchen.«

Klein und verlassen stand sie auf dem Balkon im siebten Stock und winkte.

Sie sind wieder unterwegs, schlucken Kilometer. Kiefernwälder, flache Landschaft, weite Felder, Sand, wenig Wind, viel Sonne. Seit heute Morgen sieht Nele von Martin meist nur den Rücken. Wenn nichts dazwischenkommt, keine größere Panne, sind sie morgen zu Hause. Ihre Eltern sind aus Schottland zurück. Der Vater am Telefon gestern war ganz begeistert. Die Dias sind schon fertig. Heute fliegen Henning und Topsi wieder ein. Braun gebrannt sicher. Opa Rudolf hat in einem Preisausschreiben eine Armbanduhr gewonnen, was sagst du dazu? Fritze hat sich mit Rölleckes Kater geprügelt und verloren. Ein halbes Ohr weniger, der Arme. Ihre Mutter plant eine Ausstellung mit Bildern einer ziemlich bekannten Malerin. Schon wieder voll in Aktion.

Ab morgen ist wieder alles wie immer, denkt Nele.

Und Martin? Fährt wieder in das verschachtelte Haus zu seinen Großeltern. Zu Petra. Sein Vater in Düsseldorf. Seine Mutter in Neubrandenburg, Plattenblock 15 f. Siebter

Stock. Einheitsgrau. Und in ihrem Haus im Dorf, in dem er ein Kind gewesen ist, wohnen fremde Leute. »Am besten wir verkaufen es ganz«, hatte seine Mutter beim Frühstück gesagt. »Ich kann nicht mehr dahin zurück.«

Gegen Mittag liegen sie auf einer Waldwiese, weitab von allen Häusern, und sehen den Wolken zu, die langsam über den Himmel treiben. Sie halten sich an den Händen, als wollten sie die Zeit festhalten, die nun zu Ende geht.

Eine Wolke ist da, die sieht aus wie ein Drachenflieger. Nele will, dass Martin sie sieht. Sie streckt den Arm aus. »Schau«, sagt sie. »Die da. Das ist unsere. Die Drachenfliegerwolke. Du musst nur ganz genau hinsehen. Und ein bisschen Fantasie musst du haben.«

Als hätte sie alle Zeit der Welt, zieht ihre Wolke durch das Blau, vorbei an anderen Wolken, hat längst ihre Form verändert, ist jetzt mehr ein Segelschiff, ein Piratenfloß vielleicht, aber Nele ist sicher und kann es beschwören: Es war ein Drachenflieger.

Nein, denkt sie. Auch ab morgen wird nichts so sein wie vorher. Da ist etwas. Etwas Neues.

Du und ich.

Und zuallererst kommt es doch auf uns an, was daraus wird.

Die Straße steigt an. In Kurven windet sie sich den Waldhang hinauf, den Martin gut kennt. Noch einmal müssen sie absteigen und die schwer bepackten Räder schieben.

Es ist Sonntagabend, halb neun, in einer Stunde wird es dunkel sein.

»Noch so ein Berg und ich fall um«, sagt Nele.
»Brauchst du nicht mehr«, sagt Martin. »Das ist der letzte.«
»Echt? Dann ist das schon der Anstieg zum Sonnenstein?«
Nele ist verblüfft.
Etwas geht in ihrem Kopf herum. Nach einer Weile sagt sie: »Komisch, Martin. Dann ist das hier der Weg, den mein Opa Rudolf vor fast fünfzig Jahren gelaufen ist. Damals ist er von Berlin her gekommen. Als der Krieg gerade zu Ende war.«
»Das waren Zeiten«, sagt Martin und macht die Stimme seines Großvaters nach. »Das kann sich heute keiner mehr vorstellen.«
Die Straße den Berg hinauf zieht sich viel länger als erwartet. Sie sehen nur Wald und schöne Ausblicke bis zum Harz.
»Den roten Berg sieht man nicht?«, fragt Nele.
»Nicht von hier«, sagt Martin. »Der liegt hinter dem Sonnenstein. Und Bischofferode auch.«
Nele zögert, dann sagt sie es doch: »Am ersten Tag, weißt du ... als wir mit den Rädern losgefahren sind ... und als das war mit Isabell ... da habe ich gedacht, du wärst so ... so wie der rote Berg ... so ...«
Sie sucht nach Wörtern, aber es fällt ihr nichts ein.
»Wie?«, fragt Martin und lächelt unsicher.
»... so künstlich irgendwie. Ja. Als wenn jemand dir was vorgesagt hätte, und du sagst es nur nach.«
Nele blinzelt vorsichtig zur Seite, prüft, ob er es aushält. Es scheint so.
»So hab ich das gedacht«, sagt Nele. »Und deshalb war ich

sauer. Deshalb hab ich nicht mehr geredet mit dir. Und beinahe ... Aber Blödsinn alles. Totaler Blödsinn ...«

»Komisch«, sagt Martin. »Weißt du noch, wie du in Bremen auf der Wolke getanzt hast?«

»Hm«, sagt Nele.

»Da hab ich das auch so gedacht«, sagt Martin. »Da hab ich auch gedacht, du bist mittendrin in so einer künstlichen Welt. Nur ein Rädchen im Getriebe. War Blödsinn, klar. Aber am nächsten Tag wäre ich abgehauen. Allein. Und alles wäre anders gekommen ...«

Schweigend gehen sie weiter und sagen lange kein Wort.

Dann sind sie oben. Die Wiese am Waldrand, von der aus man das verschachtelte Haus schon sehen kann, ist voller Margeriten.

»Warte mal.« Martin stellt sein Rad an einen Baum und pflückt einen großen Strauß.

Währenddessen sieht Nele die Straße hinauf und herunter und ist offenbar ganz damit beschäftigt, sich hier wieder zu orientieren. Fast ist sie überrascht, als er mit dem Blumenstrauß vor ihr steht.

»Da«, sagt Martin. »Für dich ... Und danke.«

Arm in Arm gehen sie schließlich weiter, jeder sein schweres Fahrrad an der freien Hand. Und Nele, auf den Lenker gepresst, noch die Blumen.

Kurz vor der Abfahrt zu ihrem Haus bleibt sie plötzlich stehen.

»Du«, sagt sie und lächelt in ihrer übermütigen, westlichen Art. »Mir ist was eingefallen.«

»Und?«, fragt er vorsichtig.

»Mir ist eingefallen«, sagt Nele, »wem die Blumen in Wahrheit gehören.«
»Dir«, sagt Martin. »Nur dir.«
Sie schüttelt den Kopf und lacht. »Wenn die Frau damals nicht meinem Opa Rudolf ... dann wär ich nicht mit ihm auf den Sonnenstein ... und dann hätten wir uns vielleicht nie richtig kennen gelernt.«
»Du meinst ...?«
»Dora Steinke«, sagt Nele. »Kriegerwitwe.«
»Ach die.«
»Ja. Dora«, sagt Nele. Sagt es im gleichen respektlos-vertrauten Ton, wie sie gesagt hat: Paula. Als würde sie Dora Steinke einordnen in die Reihe der verehrenswerten Frauen.
»Wie weit ist es bis zum Friedhof?«
»Fünf Minuten ungefähr.«
»Komm«, sagt Nele. »Legen wir die Räder solange hierhin. Das sind wir ihr schuldig.«

J

Waldtraut Lewin

Alles für Caesar

RTB 58061

In Rom ist der Teufel los. Seit Sulla die Macht an sich gerissen hat, sind hunderte seiner Gegner auf der Flucht. Als einer der Todeskandidaten bei der schönen Servilia Zuflucht sucht, zaudert sie keinen Augenblick. Es ist Gaius Julius Caesar. Ganz klar verhilft Servilia ihm zur Flucht – und sie wird ihn lieben.

Isolde Heyne

Hexenfeuer

RTB 58015

Barbara soll als Hexe verbrannt werden. Sie ist unschuldig – doch wie geriet sie in die Fänge der Inquisition? Sie erinnert sich: an den geheimnisvollen Mönch Rinteln; an die alte Trude, ihre Lehrmeisterin in der Kunst der Heilkunde; an Martin, der sie liebt; und vor allem an Armgard, deren Eifersucht die Katastrophe heraufbeschwor.